Les clés du Secret

Du même auteur,
chez le même éditeur

- *Pensez-gérez-gagnez* (1995)
- *Délégué spécial* (1999)
- *L'amour au pluriel* (1999)
- *L'amour singulier* (2000)
- *Conversation entre hommes* (2001)
- *De l'ombre à la lumière* (2006)

À paraître bientôt

- *L'autoguérison et ses secrets*
- *La spiritualité et ses secrets*

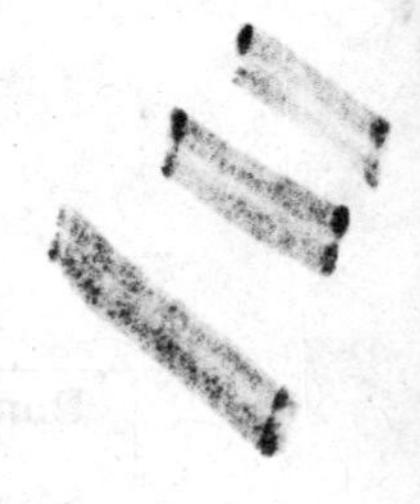

Daniel Sévigny

Les clés du Secret

ÉDITIONS DE MORTAGNE

Données de catalogage avant publication (Canada)

Sévigny, Daniel, 1947-

Les clés du Secret

ISBN 978-2-89074-740-1

1. Byrne, Rhonda. Secret. 2. Succès - Aspect psychologique. 3. New Thought.
I. Titre.

PS8607.O73M67 2007 C843'.6 C2007-941416-8
PS9607.O73M67 2007

Édition
Les Éditions de Mortagne
Case postale 116
Boucherville (Québec)
J4B 5E6

Distribution
Tél. : 450 641-2387
Téléc. : 450 655-6092
Courriel : edm@editionsdemortagne.qc.ca

Dépôt légal
Bibliothèque nationale du Canada
Bibliothèque nationale du Québec
Bibliothèque Nationale de France
3e trimestre 2007

ISBN : 978-2-89074-740-1

1 2 3 4 5 – 07 – 11 10 09 08 07

Imprimé au Canada

Nous reconnaissons l'aide financière du gouvernement du Canada par l'entremise du Programme d'aide au développement de l'industrie de l'édition (PADIÉ) et celle du gouvernement du Québec par l'entremise de la Société de développement des entreprises culturelles (SODEC) pour nos activités d'édition. Gouvernement du Québec – Programme de crédit d'impôt pour l'édition de livres – Gestion SODEC.

Je dédie ce livre à ____________________________ ,
afin que cet ouvrage vous mette en harmonie avec la loi de l'attraction pour une vie de bonheur.

SOMMAIRE

Préface 11

Première partie 13

Chapitre 1 : La loi de l'attraction 15
Chapitre 2 : Notre relation avec l'Univers 23
Chapitre 3 : Les ordonnances 29
Chapitre 4 : Les lois 37
Chapitre 5 : Le jeu 55
Chapitre 6 : Les lois universelles 79

Deuxième partie 89

Chapitre 7 : L'énergie négative 91

Troisième partie 149

Chapitre 8 : Les solutions gagnantes 151
Chapitre 9 : La réalisation 159
Chapitre 10 : L'amour 173
Chapitre 11 : La dernière clé du secret 183

Conclusion 185

Bibliographie 187

Préface

De nombreuses et différentes raisons peuvent amener des gens à écrire.

Pour ma part, j'ai décidé d'écrire ce livre pour UNE SEULE raison...

Dans le livre *Le Secret*, on explique ce qu'est la loi de l'attraction. Puis, on en fait la preuve indéniable en montrant comment elle a apporté le succès à plusieurs grands personnages de l'histoire qui en ont tenu compte dans leur vie personnelle. Enfin, on conclut en disant qu'il n'en tient qu'à nous, désormais, de l'appliquer dans notre vie quotidienne. Cependant l'auteur s'arrête là. Aucune méthode ne nous est proposée pour vivre selon la loi de l'attraction. Nous voilà laissés à nous-mêmes.

D'autre part, depuis la parution de ce livre, une foule de séminaires sont offerts au grand public sur la loi de l'attraction. Mais les animateurs ne font que répéter dans leurs mots le contenu du *Secret*. Aucun ne présente un guide pratique concret pour mettre cette loi en application. Nous voilà encore une fois laissés à nous-mêmes.

J'ai été émerveillé par l'ampleur de l'intérêt que *Le Secret* a suscité dans la population, et cela partout à travers le monde. Et en un temps record. Un exploit marketing fantastique ! Tous les jours, on me parle de ce livre, de vive voix ou par courriel. On me demande mon avis. Je réponds positivement, bien qu'au fond de moi je sache qu'il contient une grave lacune. On n'y explique pas comment passer de la connaissance de la loi à sa mise en pratique. Ces personnes qui communiquent avec moi disent qu'elles aussi sont restées sur leur appétit. Pour elles aussi, il manque les CLÉS d'utilisation du SECRET. Or, ces mêmes personnes disent découvrir ces CLÉS DU SECRET dans le contenu des séminaires de GESTION DE LA PENSÉE qu'elles ont suivis avec moi. Aussi ont-elles insisté pour que j'entreprenne de faire connaître plus explicitement ces outils que je leur ai déjà exposés et qu'elles utilisent avec tant de succès.

C'est là LA SEULE raison pour laquelle j'ai écrit le présent livre, que j'intitule *Les clés du Secret.*

De fait, depuis près de vingt ans, d'année en année, je sillonne le Québec et l'Europe. Ainsi, des milliers de personnes ont suivi les séances de formation que je donne sur la GESTION DE LA PENSÉE. J'ai mis au point cette technique après plusieurs années de recherches personnelles. Elle résulte d'innombrables lectures et séances de formation traitant de la pensée que je me suis imposées par curiosité au fil des années depuis la vingtaine.

De façon imprévue, j'ai donné ma première conférence au pied levé pour remplacer un conférencier malade. N'ayant rien préparé, évidemment j'avais choisi de parler d'un sujet que je maîtrisais et qui me tenait à cœur. Après la présentation, des auditeurs m'ont demandé si je pouvais apporter davantage d'éclaircissements sur la gestion de la pensée. C'est ainsi qu'est née la technique de la gestion de la pensée.

Le Secret expose la philosophie d'action qui doit nous animer au quotidien.

LA GESTION DE LA PENSÉE, c'est LA TECHNIQUE CONCRÈTE qui nous donne LES CLÉS permettant de vivre la loi de l'attraction chaque jour de votre vie. Ainsi, pour chacun de vous, une nouvelle vie commence. Profitez donc au maximum de la richesse des *Clés du Secret.*

LES CLÉS DU SECRET

PREMIÈRE PARTIE

Chapitre 1
La loi de l'attraction

TOUT CE QUI SE VIT
À L'INTÉRIEUR SE REFLÈTE À L'EXTÉRIEUR.

Cette phrase-titre résume la loi de l'attraction.

Il est clair que beaucoup de personnes ont obtenu des résultats en appliquant cette loi. Cependant, ces résultats paraissent souvent limités, en comparaison des succès espérés par l'ensemble des personnes soucieuses de découvrir la recette magique pour un renouveau dans leur vie. C'est donc dire qu'il faut voir ce qui se passe à l'intérieur, qu'il faut peut-être changer son intérieur.

Comment arrive-t-on à changer son intérieur ? Par son mécanisme de pensée ! Et c'est la seule manière d'y arriver !

Nous ne sommes que de l'énergie dans de l'énergie. Si nous n'avions pas les cellules, les molécules et les atomes qui forment la matière de notre corps, nous ne serions que de l'énergie dans de l'énergie, au même titre que la forme pensée, que la forme parole.

L'Univers est seulement de l'énergie et nous en sommes partie intégrante. Qu'on le veuille ou non, l'Univers est un tout, et nous faisons partie du tout. Encore faut-il savoir comment fonctionne le Tout.

Chaque pensée que nous émettons, chaque parole que nous prononçons, est émettrice d'énergie. C'est seulement par cette énergie, qu'on appelle aussi taux vibratoire, que nous participons à la loi de l'attraction. Que ce soit d'une façon consciente ou inconsciente, nous sommes tous reliés à l'Univers.

Pour utiliser à notre avantage la loi de l'attraction, il faut avant tout en connaître le fonctionnement. L'Univers a ses secrets bien gardés. Aujourd'hui, c'est votre jour de chance, car, vous aussi, vous en connaîtrez toute la réglementation ; vous allez découvrir les secrets du fonctionnement de votre relation avec l'Univers. En les appliquant, vous ferez de votre vie une réalité réalisée.

Chacun de nous est libre de ses pensées. C'est par ce merveilleux pouvoir que se crée toute chose. Ce n'est pas en pensant au passé que vous allez bâtir votre futur quand celui-ci deviendra votre présent.

Vous devez retenir que chaque pensée prend une seconde à faire le tour de la Terre et vous revient avec la même énergie. Parce que chacune d'elles est émettrice d'énergie, elle influence sur son passage l'ensemble de la Terre. Notre mécanisme de pensée demande une surveillance constante afin d'être régi par un contrôle parfait, dont la perfection ne dépend que de l'entraînement.

Nous sommes tous des émetteurs-récepteurs. Les vibrations énergétiques émises sont la réplique exacte de nos pensées. En véhiculant des pensées d'amour, de bonheur, de sérénité, tel est le fruit énergétique qui se dégagera de vous. L'effet contraire est tout aussi réel. En vous obstinant à entretenir des pensées négatives comme l'inquiétude, la haine, le ressentiment et autres idées noires, vous reflétez l'indésirable.

Regardez dans votre entourage et vous ferez vite une sélection des gens optimistes et des gens négatifs, même si vous ne les connaissez pas beaucoup. Déjà leurs vibrations vous permettent de vous faire une opinion. La loi de l'attraction...

Avez-vous remarqué comme on se sent bien dans l'entourage de personnes optimistes ? C'est grâce à leurs vibrations. Au contraire, on s'éloigne inconsciemment des personnes pessimistes. Si on avait le choix, on les éviterait.

Souvent ce sont des gens de belle apparence, dotés d'une forte personnalité. Ce qu'ils dégagent est loin d'exercer un attrait. Pourquoi ?

Inconsciemment, les gens optimistes évitent ce genre de personnes. Si, pour certaines raisons, vous devez obligatoirement les côtoyer sur le plan familial ou professionnel, après votre rencontre, leurs vibrations ont déteint sur vous. Pendant quelques minutes ou quelques heures, selon le degré de contrôle que vous exercez sur vos pensées, vous éprouvez des réactions négatives.

À moins que vous-même ne soyez du même type de tempérament critique, toujours mécontent de tout et de rien, aimant mieux laisser votre mécanisme de pensée aux gouvernes de l'insouciance plutôt que de faire l'effort de bien les contrôler, ces impressions négatives surgiront en vous. Selon des études menées en laboratoire de psychologie, nous véhiculons plus de 38 800 pensées par jour. La gestion d'autant de pensées est un sport qui demande un entraînement continuel, c'est-à-dire une surveillance permanente, autant que possible, de son activité mentale. Est-ce possible ? OUI !

La personne qui contrôle son mécanisme de pensée et qui s'efforce constamment de bien la gérer émet des vibrations bienveillantes. Tout son être est comme un rayon de soleil dans la vie.

Bien dans sa peau, elle est calme, sereine, détendue, même dans les situations troublantes. Elle garde un contrôle parfait de ses pensées, de ses énergies vibratoires. Vous connaissez sûrement plusieurs personnes de ce type. Sinon, remettez-vous en question ! Pourquoi n'attirez-vous pas et, au mieux, ne fréquentez-vous pas seulement ou presque exclusivement ce genre de personnes ?

Peut-être n'avez-vous jamais réellement pris conscience que vous faisiez partie du groupe de ceux qui ignorent l'importance de gérer ses pensées ou qui oublient de le faire. Résultat, vous attirez des gens semblables à vous et vous êtes attiré par eux.

Même sans aucune connaissance de ce mécanisme, il est naturel pour l'homme de savoir que celui-ci existe et qu'il est puissant. C'est par ignorance qu'on omet d'entretenir cette faculté, que l'on consent à un laisser-aller sans condition, en s'exposant à subir les influences de l'entourage.

Le jour où l'on prend conscience que tout commence par LA PENSÉE, l'entraînement peut débuter et on peut donc expérimenter jusqu'où va cette puissance. C'est avec émerveillement que vous constaterez alors toute sa PUISSANCE. Vous persévérerez dans les efforts à fournir pour voir se concrétiser dans votre vie les résultats impressionnants de votre pensée.

LA PENSÉE MAÎTRISE TOUT

La pensée maîtrise tout : la santé physique et psychologique. La vie affective. Les réussites et aussi les échecs. Quand je dis RÉUSSITES, ce sont toutes les réussites : familiales, relationnelles, financières, scolaires, universitaires, sportives, etc. Et quand je parle des ÉCHECS, il en va de même, et cela à tous les niveaux. Il n'en tient qu'à vous. Le « vous » n'est pas exclusivement la personne physique, c'est aussi le « vous » intérieur : LA PENSÉE.

Certains diront qu'ils sont trop vieux pour changer. D'autres objecteront qu'ils ont été trop marqués par un milieu familial où, depuis leur plus tendre enfance, les vibrations négatives ont exercé un règne absolu.

Or, on a toujours le choix. Voulez-vous changer, oui ou non ? Si c'est oui, l'âge et le milieu ne peuvent vous en empêcher. Mais vous seul avez le pouvoir de prendre cette décision.

Lorsque vous comprendrez que l'effort investi dans votre démarche de changement vous vaudra une récompense extraordinaire, vous n'hésiterez plus. Éliminez les vieux schèmes ancrés dans votre subconscient, car votre vie en dépend.

Changer sa pensée, c'est se changer.

Le prix de ce changement, c'est l'effort. Préférez-vous continuer votre vie dans l'échec et le malheur ? Une seule décision de votre part, et vous serez désormais sur la voie de la réussite. La vie que vous avez toujours rêvée, mais que vous avez subie au lieu de la gérer, dépend de VOTRE décision.

Pourquoi continuer à vivre en vous laissant porter par les événements, puisque vous savez maintenant que tout est de votre responsabilité ?

Combien d'événements ont fait d'aujourd'hui une journée grise ? L'humeur du conjoint dès son réveil ce matin. Les enfants qui ne respectent pas les consignes de la maisonnée. Le stress d'un patron exigeant. Le négatif d'un chef ou de collègues au travail. Certainement des téléphones. Tous ces éléments que vous ont fait vivre ces personnes en phase trouble ont épuisé toute votre énergie.

Alors que si vous aviez géré vos pensées, vous auriez changé le cours de chaque événement, et cela pour le vivre comme vous l'auriez décidé. Vous auriez changé l'humeur de votre conjoint sans même dire un seul mot. Les enfants auraient respecté toutes les consignes en évitant même de se chamailler. Le patron aurait été très calme et cela toute la journée. Votre chef et vos collègues seraient restés positifs. Les téléphones reçus se seraient transformés en discussions positives et vous n'en auriez retiré que des bienfaits, car vous auriez trouvé une solution bienveillante pour la personne en souffrance au lieu de subir son désarroi.

Vous aimeriez sûrement dire : « Oui, je sais, mais moi, je ne suis pas assez intelligent. Je n'ai jamais eu de chance. Je ne suis pas instruit. Mes parents sont divorcés. Mon père ou ma mère est alcoolique et peut-être toxicomane. Mon milieu n'est pas favorable à une telle démarche. Ma santé est... », et j'en passe.

Bravo ! La brochette d'excuses est parfaite. Voulez-vous continuer à subir la vie sans croire que, peut-être, la solution existe en VOUS ? Sans même fournir un petit effort, déjà vous acceptez la défaite et vous dites non au succès.

Vous croyez que je souscris à ce genre de réflexion ? Eh bien, non. Je trouve regrettable et dommage qu'une personne ne se donne pas la CHANCE de réussir. J'ai compris que ma mission n'était pas de changer le monde, mais bien de livrer un message d'espoir et de vous donner des outils pour faire de votre vie une réussite. Des milliers de personnes ont prouvé qu'elles avaient fait leurs premiers pas en changeant leurs pensées, et leurs convictions ont influencé positivement leur vie ; elles font partie de ceux qui PENSENT.

Ceux qui disent NON à leur évolution répètent le plus souvent « Je n'ai pas de chance » ou encore « Quand la chance est passée, je n'étais pas là ». Dans leurs pensées obscures, ils ne pouvaient pas voir la chance là où elle était. Je suis convaincu que, durant leur vie, au moins un élément déclencheur les incitait à modifier leurs pensées. Ils ont fait la sourde oreille. Ils n'ont pas compris que Dame CHANCE leur offrait encore une fois une occasion de réussir. Ils l'ont laissée s'évanouir une fois de plus, sans même se poser une seule question.

L'Être Suprême est juste. Chacun de nous, à son arrivée sur Terre, avait son petit sac de chances dans le bagage de sa personnalité, qui sont ses qualités, ses dons, une certaine quantité de défauts et ses expériences karmiques à affronter, qui font le juste équilibre de l'être humain et qui permettent à chacun de travailler sur sa personne.

Ceux qui disent NON présentent un défaut prédominant dans leur personnalité : LA PARESSE. Ils préfèrent ne rien faire. Comme ça, ils ont la belle excuse. Dans leur for intérieur, ils savent qu'il y a un minimum d'efforts à fournir. Comme l'effort demande une dose de courage et de volonté, il vaut mieux, pensent-ils, continuer ainsi dans l'ignorance de leurs possibilités plutôt que d'imaginer une grande réussite au prix de l'effort.

En réfléchissant, vous vous demandez si nous pouvons, par nos pensées, changer notre conjoint, nos enfants, nos parents, nos amis. Oui, nous le pouvons ! Pour cela, il faut qu'au départ, la gestion de vos pensées soit déjà une force motrice dans votre vie. En maîtrisant votre mécanisme de gestion, vous arriverez à influencer votre entourage. Des centaines de fois, on m'a dit : « Mon conjoint n'est plus le même. Les enfants sont beaucoup plus calmes et studieux. Ma relation avec telle personne est tout à fait différente. » Ou encore : « L'ambiance familiale a totalement changé. » Et plus encore. Cette amélioration est due seulement à la transformation de la personne qui en a pris l'initiative.

Prenons l'exemple d'une mère qui vit entièrement pour sa famille. Elle se dévoue corps et âme pour son conjoint et ses enfants. D'une générosité sans bornes, elle se donne jour et nuit : cuisine, ménage, éducation... Elle oublie de prendre du temps pour elle. Un jour, sans comprendre, prise dans l'engrenage de la routine, elle s'affole, devient irritable, insupportable. Mari et enfants l'exaspèrent. Elle courtise le négatif en permanence et CRAC ! Elle n'arrive plus à avoir la maîtrise d'elle-même.

Monsieur n'est pas en reste. Il subit la pression de son entreprise ou de son chef. Il doit se surpasser pour remplir ses fonctions de père aimant et de mari exemplaire. Le stress le mine en permanence. Il laisse donc le négatif dominer chacune des situations, parce que l'effort demandé est trop grand. Et finalement, il ne peut plus donner. Il est épuisé.

Or, à tout problème il y a une solution. Le jour où monsieur et madame saisiront LEUR chance, celle que l'Univers leur présentera pour découvrir que tout est régi dans la pensée, ils pourront améliorer leurs conditions de vie en commençant par le début : APPRENDRE À PENSER.

Les exemples exposés dans le présent ouvrage s'appliquent à tous les niveaux relationnels : amis, patrons, collègues de travail, coéquipiers de société ou d'activité sportive... Dans les faits, il s'agit toujours d'une question de vibrations. Transformons notre pensée et nous changerons nos vibrations pour les conformer à la LOI DE L'ATTRACTION.

Le bonheur, ça commence en pensée.

Une maladie importante des gens de notre planète s'exprime par les questions : « Que vont-ils dire ? Que vont-ils penser ? » La Terre est peuplée de deux mondes : les constructifs et les négatifs, les bons et les méchants, les honnêtes et les vicieux. Il ne faut pas croire naïvement que parce que vous modifiez votre manière de penser, toute la planète sera transformée du jour au lendemain : ce serait rêver en couleur !

Soignons-nous nous-mêmes. Laissons les autres s'occuper d'eux-mêmes. Aujourd'hui, il s'agit de votre propre prise en charge. Occupez-vous de l'excellente gestion de votre mécanisme de pensée et vous récolterez le résultat espéré, c'est-à-dire LA PAIX INTÉRIEURE.

RÉPÉTEZ APRÈS MOI : DE QUOI QUE JE ME MÊLE !

Je vous rappelle la loi de l'attraction :

TOUT CE QUI SE VIT
À L'INTÉRIEUR SE REFLÈTE À L'EXTÉRIEUR.

Chapitre 2

Notre relation avec l'Univers

Commençons par mettre ce point au clair. Croyez-moi, il est plus qu'important. Depuis le début des temps, les officiants religieux et les maîtres à penser nous proposent de DEMANDER pour obtenir ce que nous voulons, alors qu'il faut plutôt donner des ordres, et cela dans les règles de l'art. C'est donc très différent de ce que l'on nous conseille généralement !

L'Univers N'EST PAS UNE PERSONNE mais bien une ÉNERGIE. Ce n'est pas Dieu, Bouddha, Allah, Mahomet, Krishna et compagnie. C'est une ÉNERGIE par laquelle nous sommes tous reliés. Lorsque vous demandez quelque chose à une personne, elle est libre d'accepter ou de refuser. En vous adressant à une divinité, vous lui laissez la liberté de répondre à votre doléance ou de n'en faire aucun cas. Il est clair que parfois vous obtenez ainsi un certain succès. Mais si vous comparez le nombre de vos demandes avec la quantité des faveurs obtenues, vous constaterez avec déception que très peu de vos prières sont exaucées. Vos récompenses sont tout simplement dues à la loi des probabilités, à votre karma ou à la chance.

En exprimant une demande, vous donnez à la divinité de votre croyance le choix de satisfaire ou non votre requête. De même, quand vous demandez à un subalterne ou à un enfant de faire ceci ou cela, il le fait, mais pas toujours dans le délai prescrit et de la manière que vous le souhaiteriez. En demandant, donc, vous accordez la liberté DU CHOIX de la réponse.

Or, il ne s'agit pas de demander, mais d'ordonner. Nous avons le pouvoir de DÉCIDER. Ce qui veut dire : « JE *LA* PRENDS, JE ME SERS, *ELLE* EST À MOI. » Ici, je parle de l'ÉNERGIE.

Comparons-la à l'oxygène. Vous êtes-vous déjà privé de respirer ? Non ! Parce que c'est naturel de respirer. Vous ne demandez pas pour avoir de l'oxygène. Vous prenez de l'oxygène. On doit comprendre que l'ÉNERGIE est tout comme l'oxygène, simplement un élément essentiel de la Création, que nous devons nous approprier pour vivre.

Le Créateur, dans sa grande sagesse et sa magnificence, ne nous a rien imposé. IL nous a donné la possibilité de nous réaliser par la pensée. Il n'y a rien de plus grand que notre système de pensée. TOUT COMMENCE PAR LA PENSÉE.

LES RÈGLES

L'Univers, cette énergie d'une puissance démesurée, a ses règles. Au nombre de trois, elles correspondent aux trois premières CLÉS DU SECRET.

n° 1

L'Univers ne pense pas !

L'Univers est énergie. Cette énergie fonctionne selon les vibrations créées par la pensée, qui reflète l'intention du cœur. Telle est la loi de l'attraction. Je vous rappelle que c'est une ÉNERGIE et NON une divinité ou une personne. Il est impératif d'imprimer cette notion dans votre esprit et votre mémoire, car notre éducation, nos fausses croyances font que, depuis toujours, nous avons l'impression de communiquer avec une personne à qui on peut demander quelque chose. Or, l'Univers est une énergie et non une entité pensante.

PENSER, c'est la fonction de l'intelligence humaine, c'est la faculté qui nous différencie des animaux. L'animal a de l'instinct alors que nous avons l'intelligence. Tout le monde PENSE. Mais comment PENSER ?

Nos parents nous ont appris à parler, nous ont appris à marcher, mais ils ont oublié l'essentiel, c'est de nous apprendre à penser. Eux-mêmes n'ont pas été éduqués en ce sens. Alors, ils ne pouvaient pas nous apprendre ce qu'ils ne connaissaient pas.

Penser, c'est la plus grande merveille de la Création, du fonctionnement humain. Malgré toutes les recherches, on n'a jamais compris comment l'homme pense. Si nous ne pensions pas, que serions-nous ? Un animal ! Un point, c'est tout.

Dans sa très grande générosité, Dieu, en créant l'Homme, lui a donné toute sa liberté. Il ne lui a rien imposé. Il lui a donné le pouvoir de se réaliser par la pensée et de vivre différentes expériences, autant positives que négatives, selon son programme karmique. Ce qui représente à mon avis la très grande JUSTICE DIVINE.

Nous sommes dotés de l'intelligence pensante, ce qui permet à chacun d'évoluer à son rythme pour s'accomplir à travers les différentes expériences qu'il a choisies pour réaliser sa Vie.

Comme l'Univers ne pense pas, nous avons le POUVOIR de DÉCIDER de notre réalisation dans cette vie simplement par nos pensées. Cette première clé nous permet de modifier tout ce qui ne nous convient pas dans notre vie pour en changer le cours. En transformant notre manière de penser, automatiquement nous changeons nos vibrations et, en changeant nos vibrations, nous changeons notre énergie. Ce qui permet à la loi de l'attraction de se réaliser systématiquement. Nous attirons ainsi à nous les situations qui sont reliées à notre propre système de pensée.

n° 2

L'Univers ne réfléchit pas !

Réfléchir est une capacité intellectuelle essentielle pour prendre la bonne décision. Celle-ci varie d'une personne à une autre et selon la situation. Notre manière de réfléchir est le reflet de notre éducation, de notre milieu social, du pays où nous sommes nés, de notre culture, de notre mode de vie.

Toutes ces influences font en sorte que nous réfléchissons de manières différentes et que nous avons des points de vue qui varient selon les situations.

L'Univers ne réfléchit pas. Il accepte d'emblée d'obéir exactement et parfaitement à l'ordre formulé. J'ai bien dit ORDRE. Je le répète, on nous a appris à demander. Mais nous n'avons pas à demander, puisque nous avons le pouvoir de DÉCIDER. C'est la prise de conscience de cette réalité qui fera toute la différence dans votre vie.

Commencez dès maintenant à DÉCIDER de CHANGER ce que vous voulez changer en transformant d'abord votre système de pensée. Vous avez la faculté de réfléchir, vous pouvez donc changer ce qui ne vous convient pas dans votre vie, et l'Univers exécutera tous vos ordres parfaitement, car il ne réfléchit pas.

n° 3

L'Univers n'analyse pas !

Analyser est la faculté de l'humain. L'analyse d'une situation permet de l'accepter ou de la refuser et d'en changer le cours. L'Univers n'analysant pas, il exécute parfaitement les ordres. Malheureusement, vous vivez trop souvent des situations négatives qui deviendraient aisément positives si vous saviez comment vous y prendre.

Ce qui est incroyable, c'est que l'Univers ne commet jamais d'erreurs : tout réside dans la manière de formuler vos ordres. Il obéit à tous vos commandements. D'ailleurs, il l'a toujours fait jusqu'à maintenant. Vous êtes automatiquement lié à lui de façon inconsciente, et cela depuis votre conception. Hélas ! comme vous ne connaissiez pas les règles du jeu, vous êtes passé par des milliers d'expériences négatives que vous auriez facilement pu éviter.

Chacune de vos pensées est systématiquement liée à l'Univers. N'ayant pas appris à penser, vous êtes passé par toutes sortes d'expériences. Bon nombre d'entre elles auraient facilement pu être évitées et d'autres êtres vécues tout à fait différemment. Je parle ici des expériences négatives. En ce qui concerne les expériences positives, vous avez suivi le même parcours, mais vous ne l'avez fait que par instinct.

Il est naturel de penser. Mais encore faut-il savoir comment le faire. Dès que vous vivrez vos premières expériences de pensée, vous serez étonné de la puissance que vous possédiez à votre insu.

La pensée est la plus
GRANDE MERVEILLE de la Création.

n°1 : L'Univers ***ne*** PENSE ***pas***...

n°2 : L'Univers ***ne*** RÉFLÉCHIT ***pas***...

n°3 : L'Univers ***n'***ANALYSE ***pas***...

Chapitre 3

Les ordonnances

Les ordonnances sont au nombre de six. Elles représentent six autres CLÉS DU SECRET. Les ordonnances, règles subtiles du fonctionnement de la pensée, sont très importantes pour rester en liaison avec l'Univers.

Ces ordonnances sont des consignes à observer dans la formulation des ordres pour que ceux-ci soient exécutés. Ce sont des conditions à remplir pour que vos formulations soient en communion parfaite avec l'Univers. Des règles impératives à mémoriser pour obtenir le but visé.

n° 4

Pas de chiffres !

Pour l'Univers, les **chiffres** n'existent pas en tant que quantités. Cependant, ils existent comme moyen d'identification. Ainsi reliés à un élément de la matière, ils deviennent une vibration énergétique. Ainsi, les chiffres représentant une quantité ne peuvent pas être utilisés dans vos formulations. Cependant, vous pouvez employer des chiffres servant à identifier un dossier, un produit ou une porte, du fait qu'ils existent dans la mémoire de l'Univers.

L'Univers, qui est une énergie parfaite, reçoit une demande formulée au moyen de numéros et met en activité sa puissance pour exaucer le demandeur.

n° 5

Pas de poids !

Logiquement, comme les chiffres n'existent pas sous forme d'énergie, il en résulterait que vous ne pouvez pas utiliser votre pensée pour perdre du poids. Or, il n'en va pas ainsi ! Il y a moyen de trafiquer les affirmations pour obtenir ce résultat. Il existe une façon détournée de procéder, qui consiste à éviter de mentionner le poids visé. Vous pouvez recourir à toutes les possibilités de valider vos intentions en ce qui concerne le poids.

Le moment venu, je vous donnerai une série d'affirmations destinées à bien vous initier à votre nouveau schéma de pensée. J'indiquerai aussi différentes manières de négocier pour chacune des situations que vous voulez transformer selon vos intentions par un usage conscient de l'énergie de l'Univers.

n° 6

Pas de mesures !

C'est logique : comme les chiffres n'existent pas, les **mesures** sont aussi inexistantes. Que ce soit en mètres ou en litres, il est impossible de les employer dans les injonctions que vous adressez à l'Univers.

Imaginons que vous projetez de séparer une pièce par des tentures. Vous avez donc pris vos mesures pour acheter le nombre de mètres carrés de tissu qu'il vous faut. Vous achetez un imprimé qui vous plaît mais qui est en fin de série et vous entamez le travail. Or, en cours de route, vous vous rendez compte qu'il vous manque trois mètres de ce tissu dont vous avez acheté le dernier lot.

En gérant bien vos pensées, vous aurez la possibilité de vous procurer le tissu manquant. Vous êtes sceptique ? ARRÊTEZ d'accepter la pensée sociale, la pensée collective. Souvenez-vous, vous avez une pensée PERSONNALISÉE, vous avez donc le POUVOIR de changer la situation.

Je tiens à attirer votre attention sur cette notion : une pensée personnalisée. Toute notre vie, nous travaillons à améliorer notre caractère pour qu'il soit en harmonie avec notre partenaire de vie et notre entourage. La sagesse nous amène à l'améliorer pour être en meilleure relation avec les autres et soi-même. Beaucoup de personnes font du conditionnement physique pour être en meilleure forme et avoir une meilleure qualité de vie dans l'immédiat et à long terme. Mais que fait-on avec son système de pensée ? RIEN ! Pourquoi ? Parce que personne avant aujourd'hui ne nous a dit que tout commençait par la PENSÉE.

TOUT COMMENCE PAR LA PENSÉE. Si vous acceptez l'avertissement de la vendeuse comme étant la vérité, vous ne trouverez jamais le tissu manquant, alors que si vous décidez du contraire dans les règles de l'art, vous vous le procurerez.

Nous n'avons pas à savoir comment la chose se produira. L'IMPORTANT, C'EST LE RÉSULTAT. Quand vous visez un objectif, il faut le considérer comme déjà atteint. Peu importe la démarche. Souvenez-vous :

L'IMPOSSIBLE DEVIENT POSSIBLE !

🗝 n°7

Pas de distances !

La **distance** n'existe pas, dans le monde de l'énergie. La pensée comme la parole sont émettrices d'énergie ; elles font le tour de la Terre en une seconde et nous reviennent. La pensée étant liée à cette fabuleuse énergie, la notion de distance de s'y applique pas.

Cela explique qu'il vous soit souvent arrivé de penser à quelqu'un et que cette personne vous téléphone peu après. Vous pouvez donc utiliser votre pensée pour contacter une personne dont vous êtes sans nouvelles depuis un certain temps et que vous ne pouvez joindre parce que vous avez perdu ses coordonnées.

« ... Aryane me téléphone dans le plus bref délai et on se parle. »

Avez-vous saisi le détail ? « ... *et on se parle* » Il est important de le mentionner, sinon vous risquez qu'Aryane vous téléphone pendant votre absence.

🗝 n° 8

Pas de temps !

Ce qu'il y a d'intéressant dans l'Univers, c'est que le **temps** n'existe pas. Sur la Terre, nous sommes régis par des heures, des jours, des semaines, des mois et des années. Dans le monde de l'énergie, cette notion est inutile. Le temps, qui est limitatif, est aussi une mesure. Il est cependant impératif de conclure chaque formulation se rapportant au temps par l'une ou l'autre des formules suivantes. L'inobservance de cette exigence provoque souvent une défaillance dans le **fonctionnement** du mécanisme. Aussi, après chaque formule, vous devez conclure par :

S'il est possible que la réalisation se produise dans moins de trente minutes :

IMMÉDIATEMENT OU DANS L'IMMÉDIAT

Si, dans une certaine logique, il est impossible que la réalisation ait lieu dans les trente minutes :

DANS LE PLUS BREF DÉLAI

Il est aussi possible de déterminer le moment de la réalisation.

AUJOURD'HUI OU CE SOIR

Notez qu'il m'arrive parfois d'oublier la notion de temps, même pour une simple place de stationnement... et alors je tourne alors en rond avant d'en trouver une. Cela prouve que RIEN n'est acquis, même pour moi.

n° 9

Pas d'argent !

L'argent est aussi une énergie. Comme les chiffres n'existent pas, vous ne pouvez pas, par vos pensées, formuler des demandes concernant des sommes d'argent, par exemple :

« J'ai une augmentation de salaire de telle somme. »

Ou :

« J'achète tel article au prix de... »

Mais vous pourrez exprimer votre formulation de la façon suivante :

« Mon patron m'octroie une généreuse augmentation de salaire avec bonheur dans le plus bref délai. »

Ou encore :

« J'ai l'occasion rêvée d'acheter tel article à un prix raisonnable et acceptable de part et d'autre en concluant le marché dans le plus bref délai. »

Occasionnellement, on pourrait remplacer toute mention de prix spécifique par une expression comme « un prix ridicule ». Mais attention ! il faut éviter de prendre du pouvoir sur les autres. De plus, on ne peut utiliser le mot *ridicule* que dans des situations très exceptionnelles.

Par exemple, vous ne voulez pas dépenser une grosse somme d'argent pour vous habiller à l'occasion d'un mariage, parce que vous savez que ces vêtements ne vous serviront pas une deuxième fois.

Dans un tel cas, vous pourriez conclure votre formulation en employant l'expression « un prix ridicule ».

De même, vous souhaitez acheter un vélo pour en faire occasionnellement avec vos enfants. Vous ne voulez pas investir beaucoup dans un achat qui ne vous servira pas souvent.

« J'ai l'occasion rêvée d'acheter un vélo d'occasion en parfaite condition à un prix ridicule dans le plus bref délai. »

Avez-vous remarqué que j'ai précisé « d'occasion » ?

Si vous utilisez votre pensée pour abuser de l'autre ou pour exercer votre pouvoir sur lui, l'Univers se chargera de vous rappeler à l'ordre.

RIEN NE NOUS EST ÉPARGNÉ !

Que ce soit de manière consciente ou inconsciente, que nous connaissions ou ignorions les lois de l'Univers, nous sommes tous régis par le même fonctionnement.

L'Univers ne pense pas,
ne réfléchit pas et n'analyse pas.

C'est toujours selon l'intention du cœur que fonctionne notre relation avec l'Univers. Si vos intentions sont malhonnêtes, l'Univers fera en sorte que vous soyez à votre tour victime de personnes malhonnêtes. Pourquoi ? À cause de la loi du retour, que nous examinerons plus loin.

n° 4 : Pas de chiffres !

n° 5 : Pas de poids !

n° 6 : Pas de mesures !

n° 7 : Pas de distances !

n° 8 : Pas de temps !

n° 9 : Pas d'argent !

Chapitre 4
Les lois

Jusqu'à maintenant, nous avons vu que l'Univers est régi par des **règles** et des **ordonnances.** L'Univers est aussi soumis à des **lois**, qui sont au nombre de huit. Ces huit lois importantes constituent huit autres CLÉS DU SECRET.

🗝 n° 10
La précision !

Si on dit tout simplement : « Que le meilleur m'arrive ! » ou « Je vais de mieux en mieux », la formulation conviendra-t-elle ? Non ! Pourquoi ? Parce que l'Univers ne pense pas, ne réfléchit pas et n'analyse pas.

De quel « meilleur » parle-t-on ? À quel moment commencerai-je à aller vraiment bien ?

La **précision** est IMPÉRATIVE dans les formulations. Si votre formule est plutôt vague, vous obtiendrez un résultat tout aussi vague. La **précision** fera toute la différence dans le succès de votre démarche. Plus vous serez précis, plus les résultats seront impressionnants.

Évitez la dentelle. C'est-à-dire les mots vides de sens ou inutiles. On doit toutefois y mettre du superlatif afin de dynamiser la réussite. Tout est là. Votre réussite dépend de la précision de vos formulations. En donnant une idée trop générale à une démarche particulière, vous vous exposez à des déceptions. Plus vous serez précis, plus les résultats seront concluants par rapport à vos intentions.

Un jour, une personne me disait : « Quand je prendrai ma retraite, pourvu que j'aie le strict nécessaire... » Mais qu'est-ce que le strict nécessaire ? C'est du pain et de l'eau. Or, vous avez le droit de vivre dans l'abondance, mais encore faut-il le formuler.

n° 11

La douceur !

La **douceur** est une loi naturelle. Il ne faut jamais agresser l'Univers. Quand le quotidien est harmonieux, il est naturel d'énoncer sa formulation dans le calme et la douceur. C'est lorsque la contrariété nous assaille qu'il est particulièrement important de se rappeler que la **douceur** est une loi de l'Univers. Il ne faut jamais agresser l'Univers quand on émet une formulation.

Les enfants observent naturellement cette loi. Ils n'ont aucune notion de psychologie et pourtant, lorsqu'ils veulent obtenir quelque chose, ils ont recours à la douceur. Les adolescents agissent de la même façon, même lorsqu'ils sont en conflit avec leurs parents et que la guerre est déclarée. Le calme revient alors momentanément dans la relation, puis, dès que les jeunes ont eu gain de cause, la guerre recommence. Comme je le disais, ils obéissent naturellement à cette loi.

Il faut une très grande maîtrise de soi pour arriver à de tels résultats. Plus vous vous exercerez à cette maîtrise, plus elle deviendra une partie intégrante de votre personne. La douceur deviendra pour vous une seconde nature, s'ajoutant à la première qui consistera à bien gérer vos pensées, les deux formant un tout.

Aussi, en usant de douceur dans vos formulations ponctuelles en situation difficile, votre comportement, votre attitude et vos réactions en seront imprégnés. Vous maîtriserez chaque imprévu avec aisance et vous garderez une emprise parfaite sur toute circonstance. Le **calme** viendra s'ajouter à la liste des qualités inhérentes à votre personnalité.

n° 12

Le respect !

Quel lien le **respect** peut-il bien avoir avec les CLÉS DU SECRET ? Tout est énergie. Quelle que soit la matière – terre, pierre, eau –, elle est avant tout de l'énergie. Toutes les formes de matière sont de l'énergie : la nourriture, la nature, les briques, le ciment, l'asphalte. TOUT.

Exemple. Vous stationnez votre voiture. L'espace de stationnement que vous occupez est bien plus que de l'asphalte peint avec des lignes blanches ou jaunes. C'est avant tout UN ESPACE EN ÉNERGIE.

Quand vous accaparez deux places de stationnement par négligence ou dans la hâte, vous avez à payer la deuxième place en énergie. Vous avez une seule voiture, donc vous avez droit à une seule place en énergie.

Vous avez certainement remarqué qu'à l'hôtel, beaucoup de personnes laissent toutes les lumières allumées quand elles s'absentent de leur chambre. Elles devront payer en énergie cette perte énergétique.

En nous enregistrant à la réception d'un hôtel, nous devenons responsables de l'énergie de la chambre qui nous abritera. Nous avons le droit d'utiliser cette énergie pour notre confort, puisque c'est à cela que sont destinées les chambres d'hôtel. Certes, la comptabilité énergétique varie selon les cultures. Mais tout doit se payer d'une manière ou d'une autre.

Dans les restaurants libre-service, il est d'usage de débarrasser la table après le repas et de déposer les plateaux à l'endroit indiqué à cette fin. Or, je constate que beaucoup de personnes, surtout des adultes, laissent leur plateau sur la table et quittent la salle comme s'ils étaient rois et maîtres des lieux. Ils contractent ainsi une dette énergétique.

Vous jetez un papier par terre. Encore une dette de nature énergétique. La seule façon de ne pas s'endetter à cause d'un vieux papier est de le jeter à la poubelle.

Longue est la liste des différentes situations où l'on gaspille de l'énergie. Tout le monde, ou presque, sait d'instinct ce qu'il convient de faire. Pour émettre et attirer de bonnes vibrations, il faut être en communion avec l'énergie. C'est un tout. Tout ce qui se vit à l'intérieur se reflète à l'extérieur. Le respect est une nourriture énergétique qui permet d'augmenter les taux vibratoires de la personne qui s'y applique ou qui l'exerce tout naturellement. L'irrespect se paie en énergie.

Que signifie payer en énergie ? Supposons que vous ayez une grippe. Au lieu de guérir normalement, elle se prolonge de plusieurs semaines. Cette persistance de la maladie signifie que vous payez une facture énergétique. Il en va de même d'une convalescence qui dépasse le terme prévu. Supposons encore que vos projets stagnent lamentablement. Rien ne bouge ou à peine. Ce sera le signe que vous payez une facture énergétique. Les embûches se multiplient, vous avez l'impression de faire du surplace, vous tournez en rond et cela depuis plusieurs mois ? Vous payez tout simplement une facture énergétique.

Comment se fait-il que je sache tout cela ? N'étant pas physicien, je ne saurais vous donner une réponse scientifique. Mais je sais. Tout est lié. Nous ne sommes que de l'énergie dans un océan d'énergie. Quand nous respectons la matière énergétique, le taux vibratoire varie toujours selon notre comportement, notre attitude et nos actions. Alors, automatiquement, nous sommes liés à la loi de L'ATTRACTION (le secret).

n° 13

La fixation !

Maintenant, la treizième loi : la **fixation.** Pendant une journée, vous pouvez émettre autant de formulations différentes que vous désirez. Mais ne les répétez pas plus de trois fois afin d'éviter d'**agresser l'Univers** et, de ce fait, d'enfreindre la CLÉ n° 14. Dès que vous aurez obtenu quelques réussites, vous ambitionnerez de formuler certains objectifs auxquels vous tenez. Votre emballement risque alors de vous faire répéter trop souvent la même demande, au point de créer chez vous, le demandeur, une forme d'**obsession.** Or, on est très loin du bonheur, avec une pensée obsessionnelle.

Pouvez-vous imaginer qu'on puisse faire jusqu'à une centaine de formules différentes par jour ? Le moment venu, je vous en proposerez un éventail que j'utilise presque quotidiennement. Pourquoi m'en priverais-je ? L'énergie est là, je n'ai qu'à me servir. Vous en ferez tout autant, vous verrez.

Il existe des formulations dites ponctuelles, comme trouver une place de stationnement, faire cesser les pleurs d'un enfant ou le ronflement de son ou sa partenaire, se débarrasser d'un mal de tête, bref, des formulations pour toutes les situations qui dérangent. Dès que je me trouve dans une situation qui m'incommode, j'utilise l'Univers pour en changer le cours. Je formule généralement ma demande UNE seule fois.

Pour mes projets à plus long terme, je sollicite l'Univers trois fois au cours de la journée. Il faut toutefois éviter de le faire trois fois de suite. Je formule ma demande une première fois au début de la journée. Voici alors ce qui se passe. Ma pensée s'imprime en énergie autour de la planète en corrélation avec l'Univers, puis, petit à petit, son énergie s'estompe. À la deuxième formulation, ma pensée reprend contact avec l'Univers et la planète, pour finir, encore une fois, par s'estomper doucement, tout comme précédemment. Enfin, le soir venu, avant de me coucher, je refais la même demande, laquelle reprend à nouveau le contact. Ma pensée reste donc toujours en activité entre l'Univers et la planète. Ainsi, un processus d'accélération se met en place et mes buts sont atteints beaucoup plus vite.

Plus vous ferez de formulations, plus votre vie se transformera en une réalité réalisée. Votre quotidien deviendra léger malgré, parfois, une période difficile à vivre ; votre attitude sera beaucoup plus sereine, votre caractère s'assouplira, votre état d'esprit sera plus zen et votre taux vibratoire se transformera en un flux énergétique optimal pour votre conformité avec la loi de l'ATTRACTION.

n° 14

Avoir foi et confiance !

C'est une question de temps et d'expérience. Si vous me demandiez si j'ai des doutes, je vous répondrais que je n'en ai aucun, même si mes formulations peuvent parfois paraître extravagantes. Il y a bien longtemps que le doute n'existe plus dans ma vie. Chaque fois que le doute survient, votre formulation s'annule. Les lois de l'Univers indiquent qu'en utilisant votre énergie dans les règles de l'art, vous changerez toute votre vie. Vous ne pouvez vous attendre à aucune générosité de sa part si vous doutez déjà des résultats au moment de votre demande.

L'Univers est une énergie qui ne pense pas, ne réfléchit pas et n'analyse pas. Il agit toujours parfaitement selon l'intention du penseur. Il l'a toujours fait jusqu'à maintenant, car depuis votre naissance vous y êtes lié. Mais, ignorant son fonctionnement, vous vous êtes attiré mille et une situations indésirables qui auraient facilement pu être évitées ou transformées si vous aviez été éduqué en ce sens-là.

Plus vous vous impliquerez dans votre nouvelle relation avec l'Univers, plus votre vie sera enviable. Finalement, chez vous aussi, le DOUTE s'estompera définitivement. Je reviendrai sur le doute afin que vous en compreniez l'origine et que vous sachiez comment on arrive à en avoir un parfait contrôle.

LÂCHER PRISE !

C'est facile à dire, mais comment arriver à LÂCHER PRISE lorsqu'une situation trouble empoisonne votre vie. Vous avez confiance dans l'intervention de l'Univers, mais parfois un soupçon de doute se manifeste, vous déstabilise, et vous revenez dans vos chimères du passé.

En sollicitant l'Univers dans une démarche, vous pouvez être certain que l'Univers agira. Il ne le fera pas toujours de la manière attendue ou dans le délai espéré, mais il agira, et même, parfois, à la toute dernière minute. Peu importe, il est certain que vous obtiendrez le résultat escompté si votre affirmation est correctement formulée.

Je vous propose une technique de LÂCHER-PRISE. Elle fonctionne à merveille. Prenez une feuille vierge. Dans le coin supérieur gauche, vous tracez un cercle (il n'est pas nécessaire que le cercle soit parfait, mais il est important qu'il soit bien fermé, c'est-à-dire qu'il ne reste aucune ouverture) et, dans le coin inférieur droit, vous en tracez un deuxième. Vous réunissez ensuite ces deux cercles par une ligne qui représente une sorte de cordon ombilical.

Dans le cercle du haut, vous écrivez votre nom ; sur le cordon, vous inscrivez « Je lâche prise » ; dans le cercle du bas, vous indiquez le sujet du « lâcher-prise ».

EXEMPLE DE LÂCHER-PRISE

(un lâcher-prise par feuille)

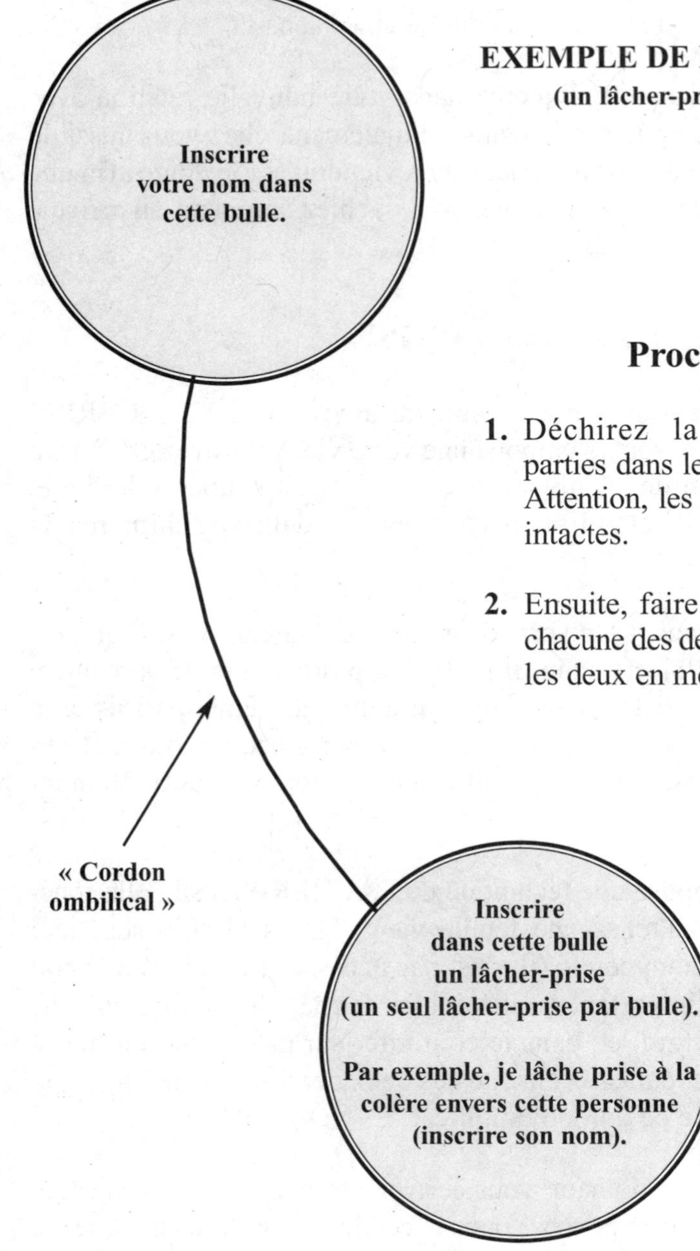

Procédure

1. Déchirez la page en deux parties dans le cordon ombilical. Attention, les bulles doivent être intactes.

2. Ensuite, faire deux boules avec chacune des deux parties et brûler les deux en même temps.

Exemples : mes angoisses, mon stress, mes inquiétudes, mes peurs, mon conflit avec Pierre, l'attente de mon nouvel emploi, ma promotion, etc. Dans le cercle du bas, il faut mettre un seul « lâcher-prise » par expérience. Ce cercle n'est pas un saladier, on ne peut y mettre plusieurs situations d'un seul coup, mais on peut faire plusieurs « lâcher-prise » dans une même journée.

Quand vous avez bien précisé votre « lâcher-prise », il faut déchirer ou couper votre feuille. Vous en faites deux boulettes (pas trop compactes) et vous les faites brûler. Il faut s'assurer que tout le papier a été consumé. Il n'y a pas de rituel à suivre. Vous le faites brûler tout simplement dans un feu de cheminée ou dans une casserole à l'extérieur de la maison. Vous pouvez faire autant de « lâcher-prise » que vous voulez, mais toujours un seul par expérience.

n° 15

Les apostilles !

Je tiens à vous mettre en garde. Lorsque vous obtiendrez une réussite, acceptez que l'Univers ait mis en place les énergies conséquentes pour vous. À la suite d'une réussite, évitez le genre de remarques suivantes : « C'est un coup de chance. C'est le hasard. Ça serait arrivé quand même. C'était prévu comme ça. » Et quoi encore ? Ce type de réflexion mettrait fin à la relation énergétique existant entre vous et l'Univers pour une durée de sept ans. Encore une fois, je ne peux vous dire comment je le sais, mais je le sais, et des expériences vécues par diverses personnes le confirment.

Une apostille est un ajout écrit dans la marge d'un document. Quand, chez un avocat ou un notaire, vous paraphez un document de vos initiales pour approuver une modification dans un paragraphe ou une confirmation en bas de page, votre paraphe est une apostille.

Se mettre en marge de l'Univers veut dire ne pas reconnaître que c'est l'Univers qui est intervenu dans l'atteinte du but visé. Il ne faut pas prendre cette loi comme une punition, mais bien comme un avertissement. Je vous rappelle qu'il faut éviter de se servir des énergies inutilement. L'Univers est très sensible. En ne reconnaissant pas sa générosité, vous vous séparerez de lui.

Lorsque vous faites une remarque désobligeante, l'Univers réagit. C'est pour sauvegarder les réserves énergétiques. Bien qu'elles soient inépuisables, si tout le monde dilapide les énergies n'importe comment, sans aucun respect, notre planète sera un jour en panne sèche. Ce n'est pas pour demain, évidemment, mais il faut tout de même assurer la survie de la planète Terre.

n° 16

La conjugaison !

Il est IMPÉRATIF d'énoncer vos formulations au **présent**. Le temps n'existant pas, il est très important de conjuguer vos formulations au **présent**. Aussi, vous devez choisir le temps des verbes que vous utilisez dans une simple conversation. En parlant au futur ou au conditionnel, vous retardez l'atteinte du but visé. L'énergie de l'Univers est très sensible et l'Univers n'accepte que ses propres lois. Plus vous parlerez en utilisant un verbe soigné, plus votre vie s'améliorera au rythme de votre engagement. Il s'agit simplement d'être attentif à tout ce que vous dites. Il faut s'entendre parler. Il faut s'écouter penser.

Tout est une question d'énergie. En pensant et en parlant au PRÉSENT, vous activez la matière énergétique et en même temps votre taux vibratoire augmente sa puissance dans la loi de l'ATTRACTION.

Vos pensées et vos paroles sont la matière première de vos vibrations. Un choix judicieux des verbes utilisés est très important. En matière linguistique, le premier mot que je ferais bannir du dictionnaire serait le verbe **espérer**. Quand vous espérez, vous acceptez déjà la réussite, mais aussi l'échec. Si vous atteignez votre objectif, ce sera merveilleux, mais si jamais vous ne l'atteignez pas, ce n'est pas grave. Inconsciemment, c'est ainsi que votre conscient, qui est relié à l'Univers, transmet les données.

Je ne souhaite rien non plus, parce que le verbe **souhaiter** implique un transfert d'énergie. Quand je souhaite à quelqu'un de vivre une merveilleuse journée, je partage avec lui mon énergie pour combler ses propres intentions. Avez-vous remarqué que j'ai dit **vivre** au lieu de passer une merveilleuse journée ? Le mot **vivre** renferme beaucoup d'énergie, tandis que le mot **passer** sous-entend qu'on dit à l'énergie de passer par-dessus, auquel cas le destinataire de votre message ne reçoit rien.

Des verbes tels que *je patauge*, *je rame*, *j'en arrache*, *ça me gonfle*, *je piétine* et bien d'autres font que vous stagnez dans la réalité. Vous tournez en rond, vous faites du surplace et vous ne comprenez pas pourquoi. Changez votre façon de parler et vous porterez votre énergie à son degré optimal. Votre taux vibratoire attirera ainsi facilement des solutions par la mise en place de bonnes énergies.

Je ne veux rien. Pourquoi ? Parce que j'ai tout. Mais non ! Le verbe **vouloir** est jumelé au verbe **pouvoir**. Quand vous voulez quelque chose, vous donnez le pouvoir à l'autre et à l'énergie, selon la personne à qui vous vous adressez. Quand vous demandez à votre enfant de faire ceci ou cela, vous venez de lui donner le pouvoir ; il le fera quand il aura décidé du moment. Avez-vous remarqué que chaque fois que vous voulez une chose, son avènement est souvent retardé ou des embûches se dressent sur son chemin ?

C'est que, inconsciemment, vous donnez le pouvoir à l'autre. Qui plus est, quand vous utilisez le verbe **vouloir** dans vos affirmations ou formulations, vous donnez le **pouvoir** à l'Univers d'agir selon son bon vouloir. Bien qu'il ne pense pas, ne réfléchisse pas et n'analyse pas, il fonctionne toujours conformément à la réalité du verbe énergétiquement employé. Rappelez-vous ceci :

ELLE M'APPARTIENT
JE LA PRENDS
ELLE EST À MOI

Je parle ici de la matière première, soit l'ÉNERGIE de l'Univers. On n'a rien à demander, on a juste à décider et c'est réglé. Selon votre éducation ou votre milieu familial, on vous a appris à demander à une divinité de tel ou tel culte.

Or, ce qui est **fabuleux**, c'est qu'on n'a rien à demander. On a juste à DÉCIDER. C'est là la **GRANDE VÉRITÉ** de la Création. Mais personne ne vous l'a jamais dit. Vous avez toujours suivi les consignes de l'enseignement. Pourtant, dans la Bible, il est écrit « Avec ta foi, tu peux déplacer les montagnes » ; il n'y est pas dit « Demande-le-Moi et Je la déplacerai pour toi ». Réfléchissez et prenez conscience que, depuis le début des temps, nous avons en quelque sorte été manipulés.

Soyons juste, cela a été fait de bonne foi, je présume. Mais la découverte de cette grande vérité de la Création remettra toutes les structures religieuses en question. Mon but n'est pas de vous convaincre ou de partir en guerre contre une société déjà bien ancrée dans ses croyances. Mon but est simplement d'ouvrir l'esprit de la société vers de nouveaux horizons pour qu'elle profite enfin de ce SECRET qui fut bien gardé. On ne nous l'a pas caché, on l'a subtilement camouflé par des décrets sagement étudiés pour avoir le pouvoir sur l'être humain.

Ce qui a été fait a été bien fait. Pour la simple et bonne raison qu'au début des temps, la société n'avait pas de balises ni de repères. En créant une religion, on a mis en place des structures pour sauver la morale et conduire l'être humain vers une élévation autre que la seule matière. C'était noble.

Mais aujourd'hui, devant cette vérité, qu'en sera-t-il de toutes ces croyances dépassées ? Il faudra bien qu'un jour les dirigeants se positionnent et s'ajustent à l'évolution de l'humain, et s'ajustent enfin à l'ÉNERGIE.

Je n'ai pas inventé l'énergie. C'est Dieu, le Maître de vos croyances, qui en est le Créateur. Il nous a donné notre pensée pour nous laisser la liberté d'évoluer à travers une multitude d'expériences négatives pour notre évolution. En créant l'énergie première de la loi de l'ATTRACTION, Il nous a donné la LIBERTÉ. C'est à nous d'en faire bon usage et de suivre les consignes de notre liaison avec l'Univers.

Je n'ai pas la prétention d'être un sage, un élu ou autre chose de cette nature. Je ne suis qu'un être humain, tout comme vous, qui a été choisi pour vous révéler des vérités nouvelles.

En toute humilité, j'ai reçu la grâce divine de différentes manières et en différentes circonstances. Je savais bien que ces dons étaient liés à ma recherche spirituelle. Chaque fois, j'ai été émerveillé de son authenticité. Je l'ai expérimentée, je l'ai partagée pendant des années par mon enseignement de la GESTION DE LA PENSÉE. Aujourd'hui, grâce au livre *Le Secret*, les gens découvrent le besoin de se prendre en main. Je profite donc de cette effervescence pour m'y associer afin de partager avec vous mes enseignements précieux pour le développement de la conscience collective.

Ayez un esprit ouvert. Expérimentez. Savourez cette grande découverte et votre vie sera le reflet de toutes vos intentions. Votre taux vibratoire augmentera et vous évoluerez dans la magie de la communion avec l'Univers.

En ce qui concerne votre spiritualité, vos croyances, conservez-les et continuez à pratiquer selon votre culte l'enseignement proposé. Cependant, au lieu de demander à Dieu ou une autre divinité d'exaucer vos désirs, adressez-vous à l'Univers et votre démarche aboutira à brève échéance.

Nous avons été éduqués à demander par la prière et en faisant des offrandes, ce qui est en somme une forme de chantage. Or, la prière est seulement une manière de rendre grâce au Divin. Prier, c'est élever son esprit à la magnificence de la Création. C'est une manière de dire merci. ***C'est rendre grâce.*** On n'a plus rien à DEMANDER, on a juste à DÉCIDER.

La prière est la nourriture de l'esprit pour être en harmonie avec son taux vibratoire. La spiritualité n'a rien à voir avec religiosité. La spiritualité c'est L'ÉLAN DU CŒUR.

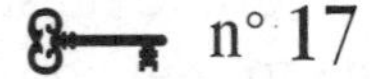

n° 17

Les négations !

Toutes les formes de négation sont ignorées dans l'Univers. Celui-ci n'enregistre que les mots clés, tout comme un enfant.

Ainsi, les mots :

NE PAS
N'
NE PLUS
AUCUN
JAMAIS
SANS
MOINS

... contrecarrent l'Univers.

De par notre éducation, nous utilisons inconsciemment la négation pour un oui ou un non. Ce qui fait que la loi des négations est une des lois des plus difficiles à respecter pour nous.

Un exemple est le meilleur moyen pour comprendre le mécanisme de cette énergie. Vous avez peut-être déjà connu quelqu'un qui disait : « Je ne veux pas mourir du cancer. » De quoi cette personne est-elle morte ? Du cancer ! Pourquoi ?

Souvenez-vous, et j'insiste : l'Univers ne pense pas, ne réfléchit pas et n'analyse pas. Je vous le répète depuis le début du livre. L'Univers vous donne tout ce que vous voulez et cela, d'une façon illimitée.

Cette personne qui formulait bien naïvement « Je ne veux pas mourir du cancer », suppliait en fait l'Univers de provoquer la fin de sa vie par cette maladie. Du moins, c'est ce que l'Univers retenait, car celui-ci ne considérait que les mots *veux mourir du cancer* et n'enregistrait pas le *ne... pas*. Je vous l'ai souvent dit : l'Univers vous donne tout ce que vous voulez, et cela sans se soucier de la malveillance de l'énergie inconsciente émise par son émetteur.

Prenons l'exemple suivant, observable dans tous les pays du monde et dans toutes les langues. Il s'agit d'une expression utilisée à tout propos, d'une façon gratuite et bien souvent inconsciente : « Il n'y a pas de problème » ou « Sans problème ». L'Univers, qui enregistre tout, enregistre le contraire de ce que veut dire cette expression. Le seul mot clé qu'il retient, c'est *problème*, et il comprend donc ceci : « Il y a un problème. » En se reportant aux règles déjà citées, il est facile de constater où se situe l'erreur. L'Univers, comme je l'ai souvent répété, vous donne tout ce que vous désirez, même un cancer, comme dans le cas cité plus haut.

L'énergie du mot *problème*, comme celle de tous les autres mots, est **cumulative**. Autrement dit, ce n'est pas chaque fois que vous prononcerez cette contradiction qu'un problème surgira dans votre vie. Comme les énergies sont cumulatives, vous vous exposez à des situations problématiques. Ce qu'il faut savoir, c'est que chaque mot prononcé ou énoncé dans votre esprit conscient émet sa propre énergie et se greffe à votre énergie globale négative, ce qui nuit à votre taux vibratoire. Telle est la loi de l'ATTRACTION.

Finalement, le résultat est le suivant. La somme cumulée des énergies négatives prépare et projette une quantité d'expériences négatives à venir. Tout cela peut être évité si vous surveillez votre façon de penser, de vous exprimer. Le choix du langage et la sélection des pensées devraient faire partie d'une gymnastique quotidienne, d'un mode de vie naturel. Il n'y a pas que le mot *problème* qui ait une connotation négative. Il en existe une multitude. C'EST L'ENFER ! C'EST TERRIBLE ! ou C'EST DIFFICILE ! C'EST ÉPOUVANTABLE ! ne sont que quelques exemples qui vous permettent de comprendre la problématique de l'enjeu.

Vous me direz : « On parle pour parler. » C'est vrai entre nous. Mais chaque mot prononcé est émetteur d'énergie et l'Univers n'a pas de **discernement**.

L'Univers exécute tout ce que nous lui ordonnons, de manière consciente et inconsciente, par les paroles prononcées et les pensées entretenues.

Le choix de votre vocabulaire fera toute la différence en matière d'énergie quant à l'atteinte de vos buts et amplifiera votre taux vibratoire. Plus vous utiliserez des mots aux vibrations toniques comme EXTRAORDINAIRE, FABULEUX, GRANDIOSE, GÉNIAL, IDÉAL, SUPER, MERVEILLEUX, plus votre vie prendra la direction que vous lui ordonnez simplement par le vocabulaire choisi. C'est simple, non ? Tout est VIBRATION.

En plus des vibrations négatives sélectionnées par un verbe inconsciemment mal choisi, il y a les **approximations**. Ce sont des mots limitatifs qui réduisent la part énergétique du verbe. Ils ralentissent l'ampleur de l'énergie possible face à des éléments proposés dans les formulations, mais aussi dans les conversations courantes. En voici quelques exemples : À PEU PRÈS, PAS TOUT À FAIT, PEUT-ÊTRE, PRESQUE, SI POSSIBLE, AU BESOIN, NÉANMOINS, PROBABLEMENT, PEU et PETIT PEU...

Chaque pensée et chaque mot émettent leur propre énergie. Le fait qu'ils soient accompagnés d'une **négation** ou d'une **approximation** change la valeur nominale de leur énergie. Plus vous serez attentif à votre manière de parler et de penser, plus le schéma de vos aspirations sera le reflet de vos pensées.

En disant « Je n'ai pas confiance en moi » ou encore « Je n'ai pas de chance », il ne faut pas croire que l'Univers vous donnera de la confiance ou de la chance, comme dans les exemples donnés. Les négations influent sur les mots positifs et annulent leur véritable valeur énergétique. Donc, vous ne serez pas plus confiant ou vous n'aurez pas plus de chance.

L'Univers a ses règles et elles sont d'une subtilité impressionnante. J'ai passé des années à essayer d'en comprendre le sens, à vouloir trouver des excuses, à ne pas les admettre, tant et aussi longtemps que je n'ai pas reconnu la complexité de la Création. Dieu ne nous a pas donné ce cadeau (notre pensée) pour que ce soit facile, mais bien pour faire des apprentissages en vue de notre évolution.

n° 10 : La précision !

n° 11 : La douceur !

n° 12 : Le respect !

n° 13 : La fixation !

n° 14 : Avoir foi et confiance !
(pas de doute)

n° 15 : Les apostilles !

n° 16 : La conjugaison !

n° 17 : Les négations !

Chapitre 5
Le jeu

Avant de commencer le jeu, je vais vous faire une recommandation des plus importantes. Je ne sors jamais de mon lit avant d'avoir planifié ma journée. Je vous conseille d'en faire autant. Ainsi, dès le début de la journée, vous actionnez votre mécanisme de pensée et, dès lors, vous êtes plus attentif à tout ce que vous vivez, vous contrôlez vos pensées, vous agissez sur les événements et vous dominez toutes les situations.

En ne le faisant pas dès votre réveil, vous sombrerez dans vos vieilles habitudes pour comprendre plus tard, dans la journée, que vous auriez pu réagir à plusieurs reprises, mais que vous aviez simplement oublié de planifier votre activité du jour. En réalité, on tombe aisément dans la facilité et, par manque de persévérance, on reprend vite ses anciennes habitudes. Faites-vous donc un devoir de planifier votre journée avant la sortie de votre lit.

Pour commencer, je vous propose d'identifier cette énergie, sinon vous tomberez vite sous la coupe d'un groupe à connotation religieuse. Je n'ai rien contre les religions, mais ce dont je parle n'a rien à voir avec quelque culture que ce soit. Par notre éducation, nous sommes habitués de demander, alors qu'avec la technique proposée, on ne demande pas, mais on donne des ordres en **douceur** à l'Univers. C'est très différent et c'est là que réside toute la sagesse pour notre évolution.

Je vous propose trois choix et je vous demande respectueusement de vous limiter à ces choix. Sinon, dans quelques années, on ne parlera plus de GESTION DE LA PENSÉE, mais plutôt d'une espèce de méli-mélo.

Les identifications proposées sont les suivantes :

UNIVERS INFINI
ou ESPRIT INFINI
ou INTELLIGENCE INFINIE.

Personnellement, j'ai choisi *Univers infini*. Allons-y pour les affirmations personnelles que je fais chaque matin avant de sortir du lit.

- **Univers infini, je vis une journée calme et sereine.**

C'est une des raisons pour lesquelles je ne suis jamais stressé.

- **Univers infini, aujourd'hui j'ai des surprises agréables.**

Tous les jours, différentes surprises m'arrivent. Il y en a des petites, comme quelqu'un qui m'offre un café ou me fait un compliment, et souvent il y a des surprises remarquables, pour ne pas dire époustouflantes. Je vous suggère de varier de qualificatif mais de toujours conserver le mot *agréable*, car vous aurez certainement des surprises, d'une autre valeur cependant. En voici quelques exemples :

- **Univers infini, j'ai des surprises magnifiquement agréables aujourd'hui.**

- **Univers infini, j'ai une surprise extraordinaire et agréable immédiatement.**

- **Univers infini, j'ai des surprises géniales et agréables dans le plus bref délai.**

Si, un jour, vous réalisez que vous n'avez vraiment pas eu de surprise, comme l'énergie est cumulative, alors le lendemain elle sera plus conséquente.

À l'occasion, vous pouvez demander un cadeau. Ce n'est pas logique de faire cette formulation tous les jours, car ce serait abuser de l'énergie. Toutefois, on peut s'y adonner de temps à autre pour se faire un petit plaisir et surtout constater que l'Univers agit même dans les cas de formulations des plus farfelues.

- **Univers infini, je reçois un cadeau aujourd'hui.**

Je profite du fait que je suis dans mon lit pour réfléchir et préparer ma journée. Je continue mes formulations avec ce que j'envisage de vivre selon le programme de mon agenda, en précisant comment je décide de le vivre.

- **Univers infini, je suis en parfaite santé maintenant.**

Parfois, je varie en disant :

- **Univers infini, je vis très vieux, lucide et en parfaite santé dès maintenant.**

On peut dire aussi :

- **Je meurs vieux, lucide et en parfaite santé.**

Vous avez certainement remarqué que je n'ai pas fait allusion au temps, et pour cause...

Pour obtenir la santé, on peut dire :

- **Univers infini, je suis sur la voie de la guérison parfaite immédiatement.**

- **Univers infini, mes douleurs** (précisez) **cessent immédiatement.**

- **Univers infini, mon mal de tête cesse immédiatement.**

ATTENTION !

Il est important de faire la différence entre un mal de tête, une migraine et une céphalée. Dans les cas de migraines et de céphalées, dès qu'un petit signe avant-coureur se manifeste, il faut faire l'affirmation immédiatement. Le mal va cesser, mais il est possible qu'il revienne un peu plus tard. Vous devrez alors recommencer, même si, pour ce faire, vous dépassez le maximum de trois répétitions dans la journée.

Vous arriverez à éliminer définitivement le malaise si celui-ci n'est pas dû à une autre cause physique telle qu'une tumeur au cerveau, par exemple. Il faudra quelques jours avant que tout ait cessé pour de bon, afin que la douleur soit effacée de la mémoire cellulaire.

- **Univers infini, j'obtiens un rendez-vous médical avec le spécialiste Miller immédiatement** (s'il s'agit d'une urgence. Si c'est pour un bilan de santé, on conclut par « dans le plus bref délai »).

- **Univers infini, mon opération** (ou celle de Pierre) **est une réussite parfaite immédiatement.**

- **Univers infini, le docteur Johnson réussit admirablement la chirurgie d'Hélène aujourd'hui.**

- **Univers infini, la cicatrisation se fait très rapidement maintenant.**

- **Univers infini, Martine prend sa vie en main, elle est déterminée à surmonter sa dépression et reprend goût à la vie immédiatement.**

Vous vous blessez...

- **Univers infini, le sang de ma coupure à la main gauche arrête de couler immédiatement** ou **le sang de la blessure coagule immédiatement.**

- **Univers infini, la douleur de la brûlure à mon pouce gauche cesse immédiatement.**

- **Univers infini, je marche avec facilité et ma douleur au genou droit cesse immédiatement.**

Vous avez de la difficulté à dormir ou vous prenez des cachets... Pour les insomniaques, faites cette formulation deux heures avant le coucher, puis une heure avant, et finalement juste avant. Vous cesserez ainsi de prendre vos cachets, en plus de dormir comme un ange.

- **Univers infini, j'ai une nuit calme et reposante, je dors d'un sommeil réparateur, profond et continu. À mon réveil, je suis dans une forme extraordinaire.**

L'aspect temporel est précisé par la mention du mot « nuit ». En disant « à mon réveil », on peut ajouter l'heure de son lever, puisque cette précision désigne un moment et non une durée.

- **Univers infini, je me rendors immédiatement.**

- **Univers infini, mon conjoint cesse de ronfler immédiatement.**

- **Univers infini, je dors silencieusement cette nuit.**

Pour perdre du poids...

Pour perdre du poids, il faut émettre les formulations avant chaque repas, même le petit déjeuner. Attention ! Si vous le faites de façon irrégulière, vous ne perdrez pas de poids. Il faut l'énoncer chaque fois que vous vous apprêtez à manger.

- **Univers infini, tout ce que je mange et je bois me fait maigrir et je reste en parfaite santé immédiatement.**

- **Univers infini, rapetisse mon estomac immédiatement.**

Cette dernière formulation est un véritable coupe-faim. Quand vous avez une fringale, énoncez cette formule, et la faim ou l'envie de gourmandises cessera immédiatement.

Vous cherchez l'amour, imaginons que c'est une femme...

- **Univers infini, je rencontre et je partage ma vie avec la femme idéale. Elle est célibataire, libre, exempte de maternité, travaillante, en parfaite santé physique et psychologique, fidèle, sensuelle, aimant la vie, voyager, jouer au golf. Nos routes se croisent et nous nous aimons dans le plus bref délai.**

Vous avez certainement remarqué que j'ai mis beaucoup de détails. La **précision** est importante. Une célibataire, libre, pourquoi libre ? Pour ne pas me retrouver avec une femme engagée qui fréquente deux autres hommes. J'ai spécifié aussi « exempte de maternité » pour ne pas assumer la responsabilité des enfants d'un autre.

Il est important de bien clôturer la formulation. Un jour, une dame me confia qu'elle avait rencontré l'homme idéal. Trois mois plus tard, ils rompaient. Monsieur ne l'aimait pas, elle avait oublié de mentionner : « ... et nous nous aimons ».

Vous cherchez un emploi ? Il est aussi facile de trouver du travail qu'une place de stationnement.

- **Univers infini, j'obtiens l'emploi idéal correspondant à ma personnalité et à mes connaissances, dans un milieu favorable, à des conditions exceptionnelles et à un salaire extraordinaire dans le plus bref délai.**

Quand je mentionne « un salaire extraordinaire », je ne veux pas dire un salaire de directeur. Je veux seulement signifier par là un salaire supérieur à celui habituellement proposé pour le même poste aux mêmes conditions.

Avant une entrevue :

- **Univers infini, je suis calme et détendu immédiatement.**

- **Univers infini, j'ai une très grande confiance en moi immédiatement.**

- **Univers infini, je m'exprime d'une façon juste et intelligente immédiatement.**

Ou :

- **Univers infini, je suis calme, détendu, avec une très grande confiance en moi. Je m'exprime d'une façon juste et intelligente immédiatement.**

Plus :

- **Univers infini, j'ai un charisme irrésistible aujourd'hui.**

- **Univers infini, je rayonne de bonheur immédiatement.**

- **Univers infini, j'irradie d'amour ce soir.**

Quant aux relations au travail...

- **Univers infini, mon chef est calme et détendu aujourd'hui.**

- **Univers infini, mon patron reconnaît mes compétences, m'apprécie à ma juste valeur et m'octroie une généreuse augmentation de salaire dans le plus bref délai.**

- **Univers infini, mes collègues de travail sont calmes et productifs aujourd'hui.**

- **Univers infini, mes collègues de travail sont positifs immédiatement.**

- **Univers infini, mes relations avec mes collègues de travail sont harmonieuses et sympathiques. Chacun d'eux respecte l'autre, apprécie les compétences de tous, collabore avec enthousiasme et reconnaît ses grandes qualités aujourd'hui.**

Une promotion ?

- **Univers infini, je suis promu au poste** de (titre du poste). **La direction reconnaît mon expérience et mes qualités de négociateur** (ou autres, selon le poste et ses exigences). **J'obtiens une augmentation de salaire importante et des avantages magnifiques dans le plus bref délai.**

Pour les propriétaires de commerce, à formuler tous les jours en ouvrant la porte...

- **Univers infini, nous sommes sur la voie de la réussite et de la fortune, les affaires sont excellentes et nous vivons dans l'abondance financière immédiatement.**

- **Univers infini, aujourd'hui je vends beaucoup et je surpasse mon chiffre d'affaires précédent.**

Au moment d'une rencontre d'affaires...

- **Univers infini, ma rencontre avec** (nom de la personne) **est couronnée de succès. Mes arguments sont convaincants et mon charisme, irrésistible, aujourd'hui** (ou dans le plus bref délai, selon le cas).

Pour la route...

- **Univers infini, nous sommes parfaitement protégés aujourd'hui et nous arrivons à destination en parfaite sécurité.**

Pour le cas de bouchons de circulation et autres conditions de la route...

- **Univers infini, la route se dégage immédiatement.**

- **Univers infini, le brouillard se dissipe immédiatement.**

- **Univers infini, les roues de ma voiture adhèrent efficacement à la chaussée immédiatement.**

Pour une réparation...

- **J'ai un rendez-vous immédiatement avec le garagiste (nommer ce garagiste).**

- **Univers infini, le mécanicien est très compétent et il fait la réparation parfaitement à un prix juste et raisonnable immédiatement.**

- **Univers infini, le garagiste a l'occasion rêvée d'acheter la pièce (nommer la pièce) et il me la revend à un prix raisonnable dans le plus bref délai.**

Pour un projet d'achat...

IMPORTANT ! Il faut préciser si c'est le JE ou si c'est le NOUS.

- **Univers infini, j'ai l'occasion rêvée d'acheter à proximité de** (nommer la ville ou la région), **une maison spacieuse, lumineuse, propre, exempte de vices cachés, entourée de voisins charmants et généreux, dans**

un endroit verdoyant et paisible, à des conditions correspondant à mon budget et à un prix raisonnable et acceptable de part et d'autre dans le plus bref délai.

Pour un projet de vente...

- **Univers infini, je vends** (nommer le bien à vendre : maison, voiture, moto, vêtement ou autre) **à un acheteur sérieux, solvable, ayant la liquidité du dépôt, à un prix acceptable de part et d'autre. Les conditions de la transaction sont conformes à l'entente proposée et les deux parties sont très satisfaites de la transaction dans le plus bref délai.**

Pour la vente d'une maison, visualisez plusieurs fois par jour une énorme banderole rouge pompier portant le mot VENDU sur la façade de la maison. Le procédé est valable aussi pour une voiture, un bateau, une moto ; il suffit de visualiser une énorme pancarte où on lit VENDU. La loi de l'ATTRACTION ! Le rouge est très important, parce qu'en énergie, c'est une couleur très puissante.

Pour un projet de voyage...

- **Univers infini, j'ai l'occasion rêvée d'un voyage** (nommer le lieu ou le type de voyage : culturel, sportif, de chasse, de pêche, de plaisir, de repos, etc.) **et j'en profite au maximum. Je réénergise ma santé physique et mental. Ce sont des vacances extraordinaires, dans le plus bref délai.**

Pour un projet de vacances...

- **Univers infini, je vis des vacances magnifiques. Je me repose bien dans un environnement calme et paisible. Je fais la connaissance de gens sympathiques et je m'amuse beaucoup. Je suis en tout temps**

parfaitement protégé et je digère bien la nourriture (ex. : mexicaine), **tout cela dans le plus bref délai.**

Pour un obstacle à surmonter...

- **Univers infini, par respect pour moi-même, j'agis rapidement face aux situations de ma vie. J'utilise immédiatement mes pouvoirs de GESTION DE LA PENSÉE. Je suis une personne accomplie.**

- **Univers infini, j'ai la solution idéale** (à tel conflit, tel malentendu, tel imprévu, etc.) **immédiatement.**

- **Univers infini, Charles cesse de bouder immédiatement, change d'attitude et nous vivons en parfaite harmonie.**

Pour l'abandon de la cigarette...

- **Univers infini, élimine en moi le goût de la nicotine. Je déteste ce goût. Je contrôle aisément mon tabagisme. Je suis très motivé à cesser de fumer dans le plus bref délai.**

Recommandation : Placez à différents endroits stratégiques (pharmacie, réfrigérateur, porte d'entrée, porte du placard, tableau de bord de la voiture, etc.) la date définitive à laquelle vous cesserez de fumer. Votre subconscient enregistrera cette date chaque fois que vous la verrez. Tout ce qui se vit à l'intérieur se reflète à l'extérieur. La loi de l'ATTRACTION, quoi !

Pour l'abandon de l'alcool...

- **Univers infini, élimine en moi le goût de l'alcool d'une manière définitive. Ma santé est excellente. Ma vie familiale et sociale est en parfaite harmonie dans le plus bref délai.**

ATTENTION ! On ne peut pas émettre une formulation à l'intention d'une autre personne sans son autorisation, sinon ça devient une prise de pouvoir et on n'en a pas le droit. À l'exception, toutefois, des cas où une femme et des enfants sont négligés ou maltraités par un conjoint alcoolique. La formulation est alors faite dans un noble dessein, tout en évitant de nuire à cette famille.

Pour les études...

- **Univers infini, je suis très attentif et je comprends facilement** (nommer le sujet de l'étude) immédiatement **.**

À énoncer avant chaque période d'étude ou avant le début de chaque cours.

- **Univers infini, William est très motivé et poursuit ses études avec beaucoup d'intérêt immédiatement.**

Il ne s'agit pas d'un cas de prise de pouvoir si la personne a moins de dix-huit ans. C'est le rôle de parents, en tant qu'éducateurs, de se préoccuper du succès de leur progéniture.

Avant un examen...

- **Univers infini, je suis calme et détendu immédiatement.**

- **Univers infini, retourne dans ma mémoire chercher les réponses de (nommer** la matière évaluée) **immédiatement.**

- **Univers infini, le correcteur me donne une note juste et très appréciable à mon examen de (nommer la matière évaluée) dans le plus bref délai.**

Pour un examen oral...

- **Univers infini, je suis calme et détendu immédiatement.**

- **Univers infini, j'ai une très grande confiance en moi immédiatement.**

- **Univers infini, je m'exprime d'une façon claire et précise. Mon exposé est exceptionnel** (ou, selon le cas, **mes réponses sont parfaites immédiatement).**

Pour une activité sportive...

- **Univers infini, je suis dans une forme extraordinaire et ma performance est immédiatement celle d'un champion.**

- **Univers infini, mes coéquipiers ont un esprit d'équipe remarquable et nous remportons le match immédiatement.**

- **Univers infini, je suis souple et agile. Je maîtrise parfaitement ma discipline et je fais honneur à mon équipe immédiatement (ou cet après-midi ou ce soir).**

Pour une décision, un choix à faire...

- **Univers infini, j'ai une réponse claire, nette et précise à ma question** (préciser les choix possibles, par exemple : **est-ce que j'accepte le poste de direction de la General Motors ou si je garde mon poste d'adjoint à la Banque Nationale ?) et je sais reconnaître la réponse dans le plus bref délai.**

- **Univers infini, est-ce que je déménage ou est-ce que je reste dans mon appartement ? Je sais reconnaître la réponse dans le plus bref délai.**

- **Univers infini, j'ai une confirmation précise sur le choix (préciser) et je sais reconnaître la réponse dans le plus bref délai.**

Décision au niveau d'une relation...

- **Univers infini, Hélène exprime ses sentiments honnêtement et me fait part de ses intentions dans le plus bref délai.**

- **Univers infini, j'ai une réponse claire, nette et précise concernant mon engagement dans ma relation avec Andréanne dans le plus bref délai et je sais reconnaître la réponse.**

- **Univers infini, je suis bien informé du sérieux des sentiments de Martine et de son choix concernant notre relation dans le plus bref délai.**

Pour le bruit... Vous avez des voisins bruyants...

Un jour, trois participants à une formation éprouvaient le même problème ; ils se plaignaient de leurs voisins bruyants. En gérant les pensées de la bonne manière, il est clair que les voisins deviendraient calmes et respectueux. Mais comment ?

Si ces personnes, en quittant le travail, avaient décidé par leurs pensées qu'à nouveau leurs voisins seraient incommodants, alors ils l'auraient été. Mais en changeant leurs pensées et en DÉCIDANT qu'ils avaient des voisins calmes et respectueux, ceux-ci le devinrent.

- **Univers infini, mes voisins sont calmes et gentils immédiatement.**

- **Univers infini, le chien cesse d'aboyer immédiatement.**

- **Univers infini, le bruit de (nommer) arrête immédiatement.**

Pour un obstacle à surmonter...

- **Univers infini, j'agis rapidement face aux situations de ma vie. Je suis très motivé à m'en sortir. Je passe à l'action parce que je suis une personne extraordinaire, immédiatement.**

- **Univers infini, j'ai la solution idéale pour (nommer le conflit ou la situation) dans le plus bref délai.**

- **Univers infini, élimine en moi mes peurs, mes craintes et mes doutes immédiatement.**

Pour le sentiment de ne pas être aimé par ses parents durant son enfance...

- **Univers infini, je pardonne à ma mère ou à mon père la façon dont il ou elle m'a aimé. J'accepte le vide d'amour de mon enfance. Je lui offre mon amour inconditionnel immédiatement.**

- **Univers infini, je suis en très bonne relation avec ma famille immédiatement.**

- **Univers infini, je suis en parfaite harmonie avec tout mon entourage immédiatement.**

Pour l'acceptation par l'enfant de la nouvelle relation de ses parents séparés.

- **Univers infini, (nom de l'enfant) accepte (nom du nouveau partenaire). Ses relations avec lui ou elle se font dans la paix et l'harmonie. Il ou elle partage l'amour de sa mère (père). Il ou elle est heureux ou heureuse et épanoui. Nous sommes tous très heureux immédiatement.**

En cas de surprotection de la part du conjoint (possessif).

- **Univers infini, élimine la surprotection de (nom de la personne). Il ou elle a confiance en moi, me donne mon espace, me laisse être moi-même en m'accordant la liberté de faire mes choix. Il ou elle me respecte. Je suis heureux et épanoui immédiatement.**

Pour le jour du ménage...

- **Univers infini, je fais mon ménage dans la joie aujourd'hui.**

- **Univers infini, j'ai de l'aide pour faire mon entretien ménager immédiatement.**

- **Univers infini, j'ai l'occasion rêvée d'une précieuse collaboration pour terminer la peinture dans le plus bref délai.**

Pour l'invisibilité...

Vous êtes surpris que je parle d'invisibilité ? Et pourtant, ça fonctionne.

Vous avez un rendez-vous et, en y allant, vous apercevez une connaissance qui vient vers vous mais vous n'avez pas le temps de lui parler...

- **Univers infini, je suis invisible aux yeux de Marie, immédiatement.**

Même si Marie vous regarde dans les yeux, elle ne vous verra pas, parce que vous ne serez pas là en énergie.

Vous êtes stationné. Vous n'avez pas de monnaie pour le parcomètre et il vous est impossible d'en avoir. Vous avez oublié votre portefeuille à la maison...

- **Univers infini, mon auto est invisible aux regards vigilants des contrôleurs immédiatement.**

ATTENTION ! J'ai bien dit que vous n'avez ni monnaie ni portefeuille. Si ce n'est pas le cas et que vous voulez simplement tester l'Univers, ça ne fonctionnera pas.

Vous devez passer dans un endroit sombre et pas trop sûr, et vous vous sentez menacé...

- **Univers infini, je suis invisible aux yeux des agresseurs immédiatement.**

Même si des jeunes sont dans l'attente d'un passant pour lui voler bijoux, portefeuille ou sac, et que vous êtes ce passant, VOUS ÊTES INVISIBLE !

Toutefois, si vous utilisez L'INVISIBILITÉ pour faire des mauvais coups, la loi du retour se chargera de vous le faire payer d'une façon ou d'une autre. RIEN NE NOUS EST ÉPARGNÉ !

Des animaux domestiques ou sauvages endommagent votre environnement...

- **Univers infini, mon jardin est invisible aux yeux du chat de ma voisine immédiatement.**

- **Univers infini, je suis invisible aux moustiques immédiatement** (ils viendront autour de vous, mais ne vous toucheront pas ou s'éloigneront tout simplement).

- **Univers infini, ma maison est invisible aux yeux des malfaiteurs immédiatement.**

- **Univers infini, installe une clôture invisible autour de mon balcon (ou, selon le cas, de mon terrain) immédiatement.**

Vous constaterez que l'animal restera dans les limites assignées par la clôture invisible. C'est impressionnant !

Des bestioles – taupes, mulots, fourmis, etc. – nuisent à votre environnement :

Univers infini, les taupes (bien désigner les indésirables) **quittent mon environnement immédiatement.**

Un jour, une personne s'est rendue invisible aux yeux de son patron pour rattraper des retards accumulés à son travail. Celui-ci n'a pas voulu la payer. Heureusement, elle a pu fournir les preuves de sa présence en lui montrant le travail accompli et ses collègues de travail ont confirmé sa présence.

ATTENTION ! Si vous faites des formulations bric-à-brac, vous obtiendrez des résultats tout à fait insatisfaisants. Il faut réfléchir et éviter de lancer n'importe quoi dans l'Univers.

Souvent, on m'avoue avoir peur de cette puissance. Je demande alors pourquoi. Les gens prennent conscience de toute la puissance qui les habite et s'imaginent que quelque chose a changé ou changera par rapport au passé. En effet, tout VA CHANGER selon l'intention du demandeur ! Avant, de façon consciente et inconsciente, les formulations ou affirmations étaient différentes et pas toujours claires, mais vous étiez néanmoins lié à cet Univers et en récoltiez des fruits pas toujours agréables et parfois même des résultats tout à fait contraires à vos intentions.

Soyez confiant et attentif à votre mécanisme de pensée. Je vous donne une formulation à faire quotidiennement pour l'obtention de meilleurs résultats et cela à compter de maintenant.

- **Univers infini, je suis très attentif à ma façon de penser et à ma manière de parler aujourd'hui.**

Vous avez toutes les clés en main pour transformer votre vie. Il n'en dépend que de votre détermination à vouloir changer. Il est plus facile de ne rien faire que de se pendre en main. La différence entre un gagnant et un perdant est tout simplement l'amour de soi.

La pensée crée, car c'est une énergie. Analysez certaines situations de votre vécu. Parfois, vous avez été gagnant parce que vous avez maîtrisé parfaitement votre mécanisme de pensée. Mais ignorant de sa grande puissance, vous vous êtes quelquefois laissé dominer par des événements. Par un laisser-aller naturel, vous avez subi la situation en négligeant les forces de votre pensée.

Même sans aucune connaissance à ce propos, il est naturel pour l'homme de savoir que ce mécanisme existe et qu'il est puissant. C'est par ignorance qu'il ne développe pas cette faculté. Il vit dans un laisser-aller sans conditions, prêt à subir les influences de l'entourage.

Le jour où l'on prend conscience que tout commence par la PENSÉE, on peut commencer son entraînement afin d'expérimenter jusqu'où va cette puissance. C'est avec émerveillement que vous constaterez toute cette PUISSANCE. Vous ne résisterez pas à fournir les efforts nécessaires pour voir se concrétiser des résultats impressionnants dans votre vie.

Les événements sont le moteur de la vie quotidienne. Combien d'événements ont fait de votre journée une journée grise ? Et cela a alors que chaque situation aurait pu être vécue différemment si vous aviez changé le cours de vos pensées. Vous avez accepté les situations et vous vous êtes laissé manipuler au gré de vos pensées.

Certes, il est plus facile de gérer du négatif que de faire l'effort de changer le cours de la situation. Car, pris au dépourvu, on laisse l'événement prendre le dessus et aussitôt les émotions négatives et contradictoires dominent, si bien qu'on y reste coincé pour une bonne partie de la journée et parfois plus encore.

On ne peut pas toujours prévenir les désagréments, bien sûr. Mais on peut changer son attitude de manière à en tirer une leçon et à transformer la situation difficile en expérience constructive. On ne peut pas modifier le cours d'un événement ponctuel, mais on est outillé pour le vivre d'une autre manière.

Prenons le cas où un membre de votre famille a un accident. Cela n'était évidemment pas prévu dans le programme de votre journée. Un tel événement est triste et parfois même catastrophique. On ne peut le changer. Mais on peut le vivre d'une autre façon en gérant ses pensées. Au lieu de s'alarmer devant le fait et de pester contre la raison de cet imprévu désagréable, on décide plutôt de gérer ses pensées de façon que les meilleures solutions se mettent en place pour la victime et que tout rentre dans l'ordre très rapidement.

On fait des formulations pour que le service à l'hôpital soit à son meilleur, que le moral de la victime soit excellent, que la collaboration du personnel médical soit exceptionnelle, que des solutions parfaites soient mises en place, en exigeant toujours la brièveté de l'échéance, selon chaque situation.

Pour qu'un événement soit une expérience positive plutôt que négative, c'est la vigilance de votre pensée qui fera toute la différence. L'événement se vivra dans le stress, la colère et autres sentiments négatifs si vous le refusez. Si vous l'acceptez et décidez de gérer les faits plutôt que de les laisser vous gérer, votre quotidien sera plus léger.

En gérant une situation négative, ayez un esprit plus lucide et vous serez plus calme. Vous aurez une attitude plus positive et vous maîtriserez la situation comme un maître. Laisser les événements gérer votre vie, c'est en perdre le contrôle. Votre vie ne sera alors que le reflet de vos pensées et de celles des autres, en plus d'être influencée par les énergies que les situations malsaines vous feront subir.

Dans une démarche solitaire, la réussite est certaine si les pensées sont bien contrôlées sur le sujet. Lorsque la démarche met à contribution un partenaire ou un groupe, tous doivent viser le même objectif. Je ne sais pas qui a dit : « L'union fait la force. » Mais il avait raison. La force d'une union ne dépend pas seulement du nombre de personnes, mais aussi de leur qualité psychique. Une récession survient ? Pourquoi ? Parce que les médias s'acharnent tous les jours à en parler, sans réfléchir aux conséquences désastreuses de telles informations. Ils créent un climat d'insécurité sociale à un point tel que la situation devient dramatique et que des milliers de personnes en sont victimes. On se souvient, il n'y a pas si longtemps, de la grippe aviaire...

Quand j'entreprends une formation en GESTION DE LA PENSÉE, la toute première chose que je dis est : « À la fin de l'atelier de ce soir, je vous remettrai une caméra vidéo afin que vous réalisiez que vous êtes le PRODUCTEUR, le RÉALISATEUR et le SCRIPTEUR du film ayant pour titre MA VIE ! Quel rôle voulez-vous jouer dans ce film ? »

Les réponses à cette question varient, mais la seule bonne réponse acceptable est LA VEDETTE ou LE RÔLE PRINCIPAL. Pourquoi ? Parce que vous êtes la personne la plus importante et que vous avez tous les pouvoirs de changer le cours de votre vie, ce qui se réalise en PENSÉE d'abord.

Une expérience impressionnante que je vous propose est l'envoi de roses rouges sous forme d'énergie. À cette fin, il faut visualiser le destinataire recevant un magnifique bouquet. Si vous faites parvenir en énergie des roses rouges à votre conjoint, vos enfants, vos parents, vos amis, votre patron, vos collègues de travail, etc., vous ne verrez probablement pas une très grande différence dans leur attitude si votre relation est positive, car vous êtes déjà dans une symbiose optimale.

Cependant, si vous vivez une relation conflictuelle, ce qu'il y a de remarquable, c'est que le conflit se termine, et cela immédiatement. Le comportement de la personne avec qui vous êtes en conflit va changer d'une manière radicale.

Une multitude de témoignages de participants à mes ateliers en GESTION DE LA PENSÉE en font foi. En voici quelques-uns. Un homme m'avoue que sa sœur lui a téléphoné après neuf ans de silence.

Un autre m'explique que sa collègue de travail lui a dit « bonjour » pour la toute première fois après des mois de bouderie. Des chicanes de famille ont cessé. Des relations tendues se sont transformées. Des malentendus se sont éclaircis. Tout est possible ! Souvenez-vous : l'impossible devient possible, avec la gestion de la pensée ! C'est la loi de l'attraction...

ATTENTION ! Les roses rouges ne sont pas la solution à toutes les situations. Sinon, je vous aurais distribué un feuillet sur l'énergie des roses rouges vous expliquant qu'elles sont la clé miraculeuse par excellence.

Pour varier, je fais parfois parvenir une PLUIE DE PÉTALES DE ROSES ROUGES à un destinataire. Ou, lorsque je reçois des invités, j'étends sous forme d'énergie un tapis de pétales de roses rouges dans le salon et la salle à manger, pour créer une meilleur ambiance. Je dépose aussi en pensée à différents endroits des bouquets de roses rouges.

Il est très important de VISUALISER soit le destinataire des roses, soit l'endroit où le bouquet est placé. On ne pourrait pas ordonner à l'Univers, par exemple, de faire parvenir un magnifique bouquet de roses rouges à tous les habitants de la Terre. Ce serait trop vague, la formulation manquerait de précision.

On peut se faire livrer en pensée des roses rouges pour vivre une merveilleuse journée. Quand on reçoit des fleurs, cela met du bonheur dans notre journée, n'est-ce pas ? En énergie, c'est exactement la même chose.

Je vous envoie, cher lecteur, chère lectrice, un magnifique bouquet de roses rouges. Et quand j'envoie des roses, je ne regarde pas à la dépense ! Je me permets d'offrir douze douzaines de roses rouges ! En pensée, c'est le même prix, ça ne coûte RIEN.

Une autre chose à retenir : l'Univers n'a pas de DISCERNEMENT. Cette vérité ne repose pas sur une loi, mais seulement sur la logique. Dans une conversation, si notre interlocuteur n'est pas très précis, nous pouvons, par le **discernement**, arriver à cerner le fond de sa pensée. Mais l'Univers ne pensant pas, ne réfléchissant pas et n'analysant pas, il n'a pas de discernement. Il prend à la lettre tout ce qu'on lui donne comme directive, sous forme de formulation ou d'affirmation, et les exécute à la perfection.

En conclusion de ce chapitre, voici les deux pensées qui guident maintenant chaque action de votre vie. Ces deux pensées expliquent pourquoi vous avez décidé de prendre votre destinée en main. Lisez à haute voix !

JE M'AIME ASSEZ
POUR VOULOIR CHANGER
LE COURS DE MA VIE.

JE SUIS
LE PRODUCTEUR,
LE RÉALISATEUR,
LE SCRIPTEUR
DU FILM DE MA VIE.

Je vous propose quelques affirmations que vous pourrez répéter occasionnellement ou quotidiennement...

- **Univers infini, je suis en possession d'un pouvoir extrêmement puissant et ce pouvoir extrêmement puissant transforme ma vie dès que j'apprends à l'utiliser.**

- **Univers infini, ma propre vibration, ma propre énergie détermine les circonstances et les situations qui m'arrivent.**

- **Univers infini, mon propre pouvoir de penser est le pouvoir qui crée ma vie. J'ai le pouvoir d'insérer dans mon esprit aujourd'hui toutes les pensées que je choisis.**

Une dernière suggestion. Je vous ai informé que je ne sortais jamais de mon lit avant d'avoir émis quelques formulations pour entamer ma journée. Ce que je vous suggère fortement, c'est, lorsque vous entrez dans votre voiture pour vous rendre au travail ou à un rendez-vous,

de FERMER la radio
et de DÉCIDER du cours des événements qui surviendront
et de la façon que vous voulez qu'ils se déroulent.

JE PENSE ! JE GÈRE ! JE DÉCIDE !

Chapitre 6
Le lois universelles

L'AMOUR. Déjà en lisant ce mot, vous vous demandez quel rapport l'amour peut avoir avec l'Univers. Vous avez raison de vous poser la question. L'amour est aussi une énergie. Vous ne deviendrez pas amoureux de cet Univers et l'Univers ne le sera pas plus de vous. Mais l'amour, c'est l'union qui fait que les énergies s'associent en vue d'une réalisation. Loi de l'ATTRACTION !

Qu'arrive-t-il entre un homme et une femme pour qu'ils deviennent amoureux l'un de l'autre ? L'énergie de l'amour. Lorsqu'il n'y a plus d'amour dans une relation, rien ne va plus. En amitié, c'est la même chose. Dès que la discorde s'installe dans une relation amicale, la chimie n'existe plus et l'envie de continuer à se fréquenter disparaît. L'énergie de l'amour n'est plus au programme.

Si vous émettez des pensées d'amour envers votre prochain, vous récolterez en retour sa reconnaissance. Si vous émettez des jugements sévères, des sentiments de colère, des récriminations et des paroles méchantes envers autrui, votre taux vibratoire s'affaiblit et votre rayonnement aussi. Vous attirez alors des personnes négatives et mal dans leur peau. Vous êtes souvent interpellé par vos relations et vous ne vous êtes jamais demandé pourquoi ?

Nous ne sommes que de l'énergie dans un milieu constitué d'énergie. En émettant des pensées d'amour, vous attirez l'amour. En émettant des pensées de révolte, en proférant des médisances ou des calomnies, en commettant des actions suscitées par des intentions malveillantes, vous vous attirez des situations pénibles et vous peinez à vous épanouir dans l'amour.

Vous êtes en quête d'amour et vous n'arrivez pas à trouver la personne idéale. C'est tout simplement que vos propres énergies sont négatives et qu'elles éloignent toute possibilité de nouer une relation stable. Vous faites des rencontres, mais ce n'est jamais la bonne personne. Elle ne correspond pas à vos attentes, elle est très négative ou sa personnalité détonne avec la vôtre. Vous êtes toujours déçu et parfois même vous désespérez de rencontrer enfin l'amour.

En vous mettant en symbiose avec l'Univers, vous éprouverez la plénitude du fait d'être en liaison avec son énergie. Vous verrez que tout votre être se transformera. Vous irradierez. Votre aura sera totalement différente. Votre rayonnement augmentera à mesure que s'intensifiera votre relation avec l'Univers.

Pour être aimé, il faut avant tout s'aimer. Pour attirer l'amour, il faut être amoureux de soi, de la Vie et des autres par son esprit conscient. L'Univers enregistrera vos énergies et changera automatiquement vos vibrations négatives et viles en vibrations positives d'amour. Nous ne sommes que de l'énergie, et les énergies émettent des vibrations. Pour attirer l'amour, il faut avant tout l'AMOUR DE SOI. Pour attirer l'amour, il faut avant tout S'AIMER. On ne peut pas attirer l'amour si on ne s'aime pas. Loi de l'ATTRACTION.

Tout le monde connaît la LOI DU RETOUR. Mais est-ce que tout le monde en réalise bien toute la portée ? Je ne crois pas. Tout ce que l'on fait de BIEN en pensée, en parole et en acte nous revient multiplié par trois, et cela au cours des vingt et une années ultérieures.

Il en va de même pour tout ce qu'on fait de MAL en pensée, en parole et en acte. Qu'on y croie ou non, qu'on l'accepte ou non, c'est une loi universelle, c'est la loi de l'ATTRACTION.

Si nous n'avons pas récolté les redevances de nos bonnes pensées et actions dans la présente vie, nous les récolterons dans la prochaine. RIEN N'EST OUBLIÉ. Et si nous n'avons pas payé les conséquences de nos pensées négatives ou destructrices et de nos mauvaises actions ou intentions à l'égard des autres dans cette vie, nous les paierons dans la prochaine. RIEN NE NOUS EST ÉPARGNÉ.

Même en se disant qu'on ne le savait pas ou qu'on n'y a pas pensé, l'Énergie agit selon les règles de sa conception. Elle ne pense pas, ne réfléchit pas et n'analyse pas.

La loi de la PROSPÉRITÉ est aussi une loi de l'Univers, mais très peu de personnes en connaissent la réglementation.

Avez-vous peur de manquer d'argent ? Si oui, vous créez une situation de manque dans votre vie et vous serez toujours à court d'argent. Beaucoup de personnes sont aux prises avec la nécessité d'administrer un budget trop mince. Avec des revenus limités, elles essaient de rendre élastique ce qui ne l'est pas. Il est impossible de résoudre un problème financier seulement en DÉPLAÇANT DE L'ARGENT.

Je m'explique. Vous avez l'argent pour payer l'électricité, mais vous payez plutôt la facture de téléphone. Votre facture d'électricité reste donc en suspens. Vous devez payer la facture X et vous retardez son paiement pour régler votre fournisseur d'électricité. Finalement, vous avez une réserve pour la facture X. Un, deux, trois comptes supplémentaires s'ajoutent et vous commencez à vous demander comment faire pour acquitter X avec des économies nettement insuffisantes. Vous versez un léger acompte à X et aux autres. La situation n'est toujours pas résolue, parce que les comptes courants s'ajoutent à ceux qui restent toujours impayés. Vous vous retrouvez dans la même impasse mois après mois et les quittances finales ne sont jamais émises. Une part importante du commun des mortels se heurte à de semblables difficultés. Victimes des influences publicitaires, ces personnes consomment sans réfléchir et courent à la catastrophe. Le pire n'est pas l'erreur commise. C'est lorsque les paiements arrivent à échéance que la panique s'installe.

La loi de la PROSPÉRITÉ est régie par deux grandes règles importantes. La première, c'est qu'il ne faut jamais **se fâcher** en matière d'argent. Par exemple, vous devez verser un impôt élevé, payer une lourde amende, régler une facture salée, bref, vous résoudre à un débours qui vous coûte beaucoup. En pareil cas, lorsque vous ouvrez votre courrier et prenez connaissance du montant de la facture, vous devez réagir comme si vous receviez un chèque s'élevant à la même somme. Il faut que, dans votre cœur, vous soyez content, heureux, et cela même si cette facture excède vos moyens ou est injuste, à votre avis.

Prenons l'exemple d'un policier qui vous remet une contravention pour une infraction que vous avez commise. Vous devez être enchanté, comme s'il venait de vous offrir un beau cadeau. Évitez de l'invectiver, restez calme et acceptez votre bêtise en vous rappelant que vous ferez fructifier cet argent.

Vous vous libérez d'un engagement, d'une relation de couple ou d'un associé. Acceptez avec bonheur le règlement imposé, pour autant qu'il soit acceptable de part et d'autre. Si la somme dépasse les limites du bon sens, amorcez des discussions sous la bannière de l'Univers et vous verrez qu'un compromis acceptable se présentera à vous. Vous devez rester ravi de payer et l'accepter avec délectation. Vous ne devez pas vous fâcher contre la personne qui exige le règlement, que celle-ci soit votre ex ou toute autre personne.

La **première règle** à se rappeler est donc la suivante : toujours payer avec bonheur et ne jamais se fâcher à la réception d'une facture. Loi de l'ATTRACTION.

La **seconde règle** est très simple. Chaque fois que vous payez quelque chose, dites dans votre tête : **« Cela me revient décuplé. »** C'est-à-dire multiplié par dix. L'important, c'est que vous émettiez cette pensée au moment du transfert de l'argent, par exemple lorsque vous donnez de l'argent à quelqu'un pour payer un achat ou lorsque vous signez un chèque ou acquittez des achats à crédit. C'est à ce moment-là que cette pensée devient valable, et c'est aussi à ce moment-là que vous mettez cette énergie en activité. Pour ce qui touche les transferts par cartes bancaires, c'est le moment où vous composez votre numéro de code, qui est crucial.

En appliquant cette loi, il ne faut pas croire que, dans l'heure qui va suivre, vous recevrez automatiquement le décuple de la somme payée. Comme des milliers de personnes, vous verrez qu'en changeant d'attitude à l'égard de l'argent et en exploitant la loi de la prospérité, votre situation finira par changer. D'ailleurs, l'Univers ne nous rétribue pas toujours par de l'argent, car il peut le faire de plusieurs autres façons. Par exemple, il vous donnera l'occasion de faire des achats à prix réduits, des aubaines, quoi ! Ou encore, on vous rendra des services gratuits, on vous récompensera généreusement d'une manière ou d'une autre. Quoi qu'il en soit, votre réussite financière s'améliorera d'une manière impressionnante.

Voici la grande symbolique de la loi de la prospérité : VOUS NE SEREZ JAMAIS EN MANQUE D'ARGENT. En répétant la petite phrase : « CELA ME REVIENT DÉCUPLÉ », vous ferez circuler l'énergie de l'argent autour de vous. L'argent est aussi une énergie, comme tout ce qui est matière. Plus elle circulera, plus vous en recevrez les dividendes.

Je vous confie une petite astuce. Comme cette loi va de soi, on l'oublie. Je vous propose donc de vous mettre des pense-bêtes dans votre portefeuille, de coller sur vos cartes de crédit ou de débit l'indication « x10 », qui veut dire « multiplié par dix ». Surtout, évitez de dire « multiplié par dix » ; l'Univers ne connaît pas les chiffres. Il est impératif de dire « CELA ME REVIENT DÉCUPLÉ ». Prenez dès maintenant l'habitude de le dire pour toutes les transactions que vous effectuez, même les plus petites. Si vous vous proposez de le faire seulement pour les transactions importantes, vous l'oublierez. Vous y penserez trop tard. Et rappelez-vous que je vous ai bien dit : « Au moment de la transaction. »

Il faut créer dans son esprit conscient l'habitude de recourir à cette formulation pour qu'elle devienne automatique à chaque transaction. C'est comme dire « merci » ou « s'il vous plaît » : c'est une expression spontanée.

La loi de la prospérité fait aussi partie de la loi du retour... ATTRACTION !

CELA ME REVIENT DÉCUPLÉ !

Toujours dans le cadre des lois universelles, il y en a une qui est très subtile et qu'on utilise inconsciemment plusieurs fois par jour sans en avoir réalisé toute la puissance et surtout tout l'impact dans notre vie.

Quand on vous demande comment vous allez, quelle est votre réponse ? « Pas si mal, ça pourrait aller mieux », « Il y a pire » ou simplement « Bien » ? Vous aurez certainement remarqué, au stade où vous en êtes maintenant, que ces expressions sont loin d'être positives en énergie, et vous aurez raison.

Je vous propose dès maintenant de répondre plutôt : « MERVEILLEUSEMENT BIEN ! » En faisant régulièrement cette réponse, vous n'attirerez que du merveilleux. Vous vous souvenez que l'énergie revient toujours à son émetteur ? Lorsque vous dites que vous n'allez pas si mal, l'Univers n'enregistre pas les négations et vous renvoie du MAL. Les énergies négatives, comme les énergies objectives, sont cumulatives. Donc, inconsciemment, vous n'attirez que des expériences négatives, alors qu'en disant que vous allez **merveilleusement bien,** le principe étant le même, il ne vous arrivera que du merveilleux.

Quand vous passerez par une période difficile, il est clair que vous n'aurez pas envie de dire **« Ça va merveilleusement bien »,** et pour cause. Alors répondez que ça ira mieux demain.

Je sais ce que vous pensez présentement. Vous vous dites que les gens auront une drôle de réaction ou se moqueront de vous. Attention à la façon dont vous pensez ! Si vous pensez de cette manière, il est clair que les personnes auront ce genre de réaction. Cependant, si vous décidez qu'en répondant que tout va **merveilleusement bien** vous leur donnez de l'espoir et qu'ils seront contents pour vous, c'est ce qui se passera en énergie pour vous. La loi de l'ATTRACTION.

Lorsque vous souhaitez à quelqu'un de passer une belle journée, vous n'avez rien émis sur le plan de l'énergie, car le verbe *passer* signifie PASSER PAR-DESSUS. Prenez l'habitude dès maintenant de dire : « **VIS ou VIVEZ UNE MERVEILLEUSE JOURNÉE.** » Dans le mot VIVRE, il y a beaucoup d'énergie et c'est cela que vous transférerez à l'autre : de l'énergie, de la vitalité, du courage dans les périodes difficiles, du bonheur à partager, de la joie de vivre.

Le partage de votre énergie dans le verbe est très puissant pour vous et pour l'autre. La loi du retour est toujours active et vous redonne le merveilleux que vous partagez. En même temps, votre énergie reste toujours à un taux vibratoire maximal par le mot VIVRE. Loi de l'ATTRACTION !

PARTAGER, C'EST RECEVOIR !

Que dire de la **prise de pouvoir** ? C'est aussi une loi universelle. Prendre le pouvoir sur l'autre fera en sorte qu'on prendra le pouvoir sur vous par la manipulation ou que l'Univers agira en communion avec les énergies de votre entourage pour le retour de la **prise de pouvoir** sur l'autre, ce qui ne sera pas nécessairement à votre avantage dans votre quotidien. Vous devrez surmonter des obstacles pour atteindre vos objectifs et vous ne comprendrez pas pourquoi. Il en a déjà été ainsi dans votre passé et vous ne compreniez pas pourquoi vous faisiez du surplace ou que vous aviez beaucoup de difficulté à résoudre certaines situations ; malgré beaucoup d'efforts, vous piétiniez. Loi de l'ATTRACTION !

Tout est possible en énergie, mais on n'a pas le droit de prendre le pouvoir sur l'autre. Votre conjoint a une dépendance, vous n'avez pas le droit d'utiliser l'Univers pour l'en délivrer. Une personne que vous chérissez est paresseuse et se plaint continuellement, vous n'avez pas le droit d'intervenir pour qu'elle se trouve du travail, mais vous pourriez, en vous adressant à l'Univers, émettre une formulation énonçant qu'elle est très motivée et qu'elle se prend en main. Une personne est malade ? Vous ne pouvez mettre en œuvre vos pensées pour qu'elle guérisse, car ce serait une prise de pouvoir, mais vous pourriez affirmer à l'Univers qu'elle est sur la voix de la guérison.

Cependant, pour les enfants de moins de dix-huit ans, VOUS EN AVEZ LE DROIT. Pourquoi ? Parce que c'est votre rôle de parent et d'éducateur. Nous avons le droit d'utiliser l'Univers pour faire agir nos enfants.

- **Univers infini, Michel étudie sérieusement dès son retour de l'école.**
- **Univers infini, Suzanne fait le ménage de sa chambre aujourd'hui.**
- **Univers infini, Pierre et Mathilde s'entendent à merveille maintenant.**
- **Univers infini, Martine m'aide à faire la vaisselle ce soir.**
- **Univers infini, Daniel va se coucher maintenant.**
- **Univers infini, les enfants se calment immédiatement.**
- **Univers infini, Élodie revient à la maison immédiatement**
- **Univers infini, Alex vit une merveilleuse soirée en parfaite sécurité.**
- **Univers infini, Ève est attentive et comprend facilement les mathématiques aujourd'hui.**
- **Univers infini, Tommy est très performant au basketball immédiatement et ses coéquipiers font des jeux de passe impressionnants.**

Avant de prendre le pouvoir sur l'autre, réfléchissez. Bien que l'Univers ne pense pas, ne réfléchit pas et n'analyse pas, il est avant tout une énergie et il fonctionne avec les vibrations émises par le penseur/demandeur. Si vous émettez des pensées à l'Univers dans le but de prendre le pouvoir sur l'autre, ce dernier recevra vos vibrations de pouvoir. Même si votre intention est noble, il faut éviter toute prise de pouvoir sur l'autre.

L'Univers est une énergie qui fonctionne par les pensées et les paroles émises. Donc, des VIBRATIONS se mettront en activité, car telle est la loi de l'ATTRACTION.

LES CLÉS DU SECRET

DEUXIÈME PARTIE

Chapitre 7
L'énergie négative

LE NÉGATIF SOUS TOUTES LES FORMES
EST UN ÉLIXIR DE DESTRUCTION.

Des milliers de personnes s'autodétruisent inconsciemment. Elles se complaisent dans leur malheur. Tout est un drame. Elles n'osent croire qu'un jour une lueur d'espoir, un souffle de vie sauront remédier à leur malaise intérieur. Elles se nourrissent constamment des fruits pourris de leurs pensées.

C'est du pur masochisme. Dès leur réveil jusqu'à tard dans la nuit, si elles se refusent tout tranquillisant, elles broient du noir.

Le plus triste dans tout cela, c'est qu'elles sont très malheureuses et qu'elles n'arrivent pas à reprendre le contrôle de leur vie.

Toutes les vibrations, extérieures et intérieures, sont liées entre elles. Tout ce qui se vit à l'intérieur se reflète à l'extérieur. Tout ce qui se passe à l'extérieur déteint à l'intérieur. C'est la Loi de l'ATTRACTION.

Relisez, relisez et relisez. Vous devez imposer ces mots à votre esprit conscient.

NOS PENSÉES SONT DES VIBRATIONS.

Toutes les vibrations intérieures sont créées par les pensées. Quelles formes de pensées entretenez-vous ? D'angoisse, de peur, de crainte, d'inquiétude, de ressentiment... ?

Chaque pensée entretenue crée SA propre énergie, SA propre vibration. Dès notre réveil, le processus est enclenché pour chacune de nos pensées. ÉNERGIE – VIBRATION – ATTRACTION – ÉNERGIE – VIBRATION – ATTRACTION.

Prenez conscience de la puissance d'une pensée. VOUS PENSEZ. Votre pensée devient VIBRATION, votre VIBRATION s'extériorise et influence votre personnalité.

La VIBRATION vous revient après avoir fait le tour de la Terre avec son influence vibratoire et met automatiquement en activité la loi de l'ATTRACTION.

Ce circuit est le même pour les 38 800 pensées que chacun entretient en moyenne par jour. Si l'on multiplie par le nombre d'habitants sur la Terre, on peut imaginer à quel point la Terre est énergie !

En entraînant le mécanisme de pensée, en commençant petit à petit, vous arriverez à ÉLIMINER les pensées négatives qui habitent votre esprit. Pour chacune d'elles, vous recommencez la bataille.

J'ai vu des milliers de personnes se prendre en main, changer leur vie presque instantanément. Avec DÉTERMINATION et COURAGE, elles ont commencé leur entraînement. Avec acharnement, elles se sont efforcées de n'entretenir que des pensées d'amour, de gaieté, de bienveillance, etc.

Comme on entretient sa voiture avec minutie, notre mécanisme de pensée DEMANDE autant sinon plus d'attention. Captant continuellement les vibrations extérieures, il exige un contrôle sérieux des rouages de notre esprit.

Est-il possible d'avoir un parfait contrôle de son esprit conscient, n'avez-vous pas envie de me demander ? Pour être franc, oui ! Ce contrôle est possible. Cela vous surprend ? J'ai déjà vu cette maîtrise chez beaucoup de gens. Et on verra de plus en plus de gens possédant cette maîtrise, car la croissance personnelle soulève de plus en plus d'intérêt. À mesure de leur évolution, les personnes qui s'adonnent à la croissance personnelle trouvent la SOURCE de connaissances pouvant les faire cheminer.

Plusieurs personnes fréquentent un gymnase pour faire du conditionnement physique. Il faudrait créer des gymnases de la pensée, car la pensée est comme un muscle. Elle devient de plus en plus forte avec le temps et l'entraînement.

Bientôt, avec un minimum d'entraînement, vous aussi, vous serez parmi ceux qui gèrent efficacement leurs pensées.

UNE PENSÉE D'AMOUR

Vous apprenez que votre enfant, votre conjoint ou une personne que vous aimez beaucoup est très malade. Comment réagissez-vous ? Vous avez de la peine, vous êtes triste, avec tout l'amour que vous avez en vous pour elle. Vous êtes prêt à tout pour lui faire plaisir, pour soulager sa douleur, n'est-ce pas ? Finalement, le bonheur revient lorsque sa santé est rétablie.

Votre esprit conscient est peut-être dans un état lamentable actuellement, il est peut-être malade parce que vous le nourrissez constamment de pensées destructrices. Votre esprit conscient ne mérite-t-il pas que vous l'aimiez ? En aimant votre esprit conscient, vous commencez à vous aimer. VOUS ÊTES LA PERSONNE LA PLUS IMPORTANTE. AIMEZ-VOUS !

Par amour, vous avez vécu différentes situations, certaines très heureuses, d'autres moins enivrantes. Par amour, vous avez accepté les conséquences de votre décision. Quelle que soit votre évolution, par amour, le prix du sacrifice s'est souvent présenté dans votre vie.

Étant la personne la plus importante et avec le respect que vous vous devez, l'analyse du « QUI SUIS-JE ? » est très importante. Je dois me valoriser et m'identifier à ma vraie IDENTITÉ. Reconnaître les qualités et les talents qui font de moi un ÊTRE UNIQUE et EXCEPTIONNEL. Tel doit être le but qui vous anime.

N'allez pas croire que vous êtes trop vieux ou que vous n'aurez pas le courage de livrer cette bataille. D'autres l'ont fait avant vous. Ayez confiance. Ma plus jeune élève avait huit ans et ma doyenne, quatre-vingt ans. Un nombre impressionnant de personnes de plus de soixante-dix ans ont décidé un jour de CHANGER. Pourquoi pas VOUS ?

Les expériences, vous les vivez. Vous cumulez les succès et les échecs pour progresser, grandir. En travaillant sur votre esprit conscient, vous évoluez en SAGESSE. Une sérénité permanente s'installe et vos VIBRATIONS de bonheur deviennent la transparence de votre cœur et attirent des situations qui vous rendent heureux. Toujours la loi de l'ATTRACTION à l'œuvre.

N'attendez pas d'être rendu au terme de votre vie pour vous décider. Jour après jour, vous transformerez votre mécanisme de pensée par amour pour vous et la sagesse sera l'amie de vos pensées.

Appréciez vos qualités, reconnaissez l'ÊTRE MERVEILLEUX QUE VOUS ÊTES.

LES FORCES NÉGATIVES

Pour vous parler des forces négatives, je vous présente d'abord votre pire ennemi : VOUS. Il y a le vous positif, et il y aussi le vous négatif. Tous les deux font partie de votre personne. Parfois, le vous négatif prend le dessus sur le vous positif selon les événements, votre personnalité, votre caractère, vos faiblesses et vos expériences passées. Votre maturité joue aussi un rôle dans le combat perpétuel.

Cette lutte constante se joue au niveau des pensées et des paroles négatives. Ce sont les adversaires les plus actifs dans votre évolution. Pour vous aider à mener un combat sans merci, nous identifions LE SABOTEUR de votre vie. Votre SABOTEUR si néfaste est votre moi négatif.

Je vous propose de lui donner, de préférence, un nom symbolique court, comme Max, Alex, Joé ou simplement B pour boxeur. Évitez de choisir un nom qui vous rappelle un ennemi ou encore un ex qui vous a fait du mal ou causé des ennuis, ou encore une ancienne flamme que vous aimez encore. Allez de l'avant avec un pseudonyme symbolique neutre. Le mien, je l'ai baptisé Oscar.

Je vous expliquerai plus loin comment je me défends contre Oscar. Mais avant tout, laissez-moi vous apprendre à le connaître en vous montrant ce qu'il vous fait vivre. Il vous nourrit très souvent de **pensées négatives**, et vous tombez dans son piège. Il est vrai que les pensées négatives sont très simples à gérer. Mais encore faut-il reconnaître ces pensées négatives pour être en mesure de se défendre contre elles. Je vous en présente donc une panoplie accompagnée d'explications. Ces exemples vous aideront à mieux identifier votre SABOTEUR.

Les pensées négatives que nous apporte le saboteur, qui sont aussi émettrices d'énergie, font diminuer le taux vibratoire de la loi de l'attraction. Cette loi, en fluctuation constante, change au fur et mesure que nous changeons nos pensées. Plus nous gérons du négatif, plus nous attirons des personnes et des situations négatives.

La variété de nos pensées est impressionnante. Le choix de notre vocabulaire l'est aussi. Pour avoir un taux vibratoire à son plus haut niveau, il faut donc le GÉRER. C'est LA SEULE façon d'augmenter notre taux vibratoire et de recevoir les bienfaits de la loi de l'ATTRACTION.

Rien ne changera par rapport à **hier** si vous gérez toujours des pensées négatives. En faisant l'effort dès maintenant d'entretenir des pensées constructives, votre vie se transformera dès maintenant. Vous transformerez vos vibrations et la loi de l'ATTRACTION se modifiera automatiquement à votre avantage.

La série de pensées négatives que je vous présente est en ordre alphabétique.

ANGOISSE

Les angoisses sont des réminiscences d'événements passés.

Une mauvaise nouvelle déclenche de l'angoisse. Imprévisible, l'angoisse attaque sournoisement l'esprit et provoque des symptômes physiques. Elle donne des nœuds dans la gorge, empêche de respirer normalement, provoque des crampes dans le bas-ventre. Si vous n'êtes pas préparé à vous défendre contre les affres de vos pensées, vous allez subir des désagréments physiques. Je sais, il faut être en bonne condition mentale pour reconnaître, dès le début, une attaque d'angoisse. Comme toute crise prise au début, elle sera vite contrôlée. La négligence dans l'attention à son esprit retardera la délivrance du malaise. ENTRETENIR ou SUPPRIMER. En entretenant une crise d'angoisse, vous aurez un effet d'entraînement. Ainsi la fréquence de ces crises augmentera rapidement. SUPPRIMEZ le virus dès le début : les crises étant de faible intensité, elles seront vite éliminées.

Un homme me confia que sa vie était un enfer. Il réussissait dans le domaine des affaires, mais sur les autres plans, c'était un désastre. Les angoisses le minaient à un point tel qu'il pensait souvent au suicide.

Je lui ai appris à gérer ses pensées, à s'aimer. Il a accepté la condition *in extremis* qui consiste à entraîner son esprit conscient et à écouter ses pensées. Avec discernement et ténacité, il a gagné.

Les causes extérieures se reflètent à l'intérieur et sont régies par la pensée. Les effets secondaires sont plus que des maux physiques. Ils engendrent aussi d'autres formes de pensées négatives.

ANXIÉTÉ

En imagination, nous laissons notre esprit vagabonder sur le sujet de nos INQUIÉTUDES. Nous avons perdu le contrôle de nos pensées. Notre mécanisme conscient est déréglé et est reparti dans le monde du négativisme. Malheureux et alarmé, nous oublions les conséquences de nos pensées et nous nous acharnons sur nous-même.

Ainsi les symptômes de l'anxiété diffèrent de ceux des angoisses. Le rythme cardiaque est accéléré, la transpiration s'accroît, les mains sont moites.

L'anxiété est mortelle. Peu de personnes comprennent que le souci TUE. Il est étrange qu'après des siècles d'expérience et de développement, l'espèce humaine n'ait pas appris à refuser énergétiquement de se laisser torturer par les ennemis de son bonheur. Nous nous laissons encore tourmenter du berceau à la tombe, par ces ennemis que nous pourrions facilement détruire en changeant l'orientation de nos pensées. C'est triste de constater tout le dommage qu'une seule pensée peut faire. RÉAGISSEZ ! GÉREZ VOS PENSÉES !

L'anxiété active l'adrénaline de notre système, ce qui occasionne des excès de nervosité et, par le fait même, L'INSOMNIE.

Si vous êtes insomniaque, meilleure que tout tranquillisant est l'affirmation proposée précédemment, c'est-à-dire : RÉAGISSEZ ! GÉREZ VOS PENSÉES !

Dans plusieurs villes du monde, j'ai partagé la formulation de la gestion de l'anxiété. Aussi, dans toutes ces villes, il y avait des gens qui souffraient d'insomnie et, comme par enchantement, le besoin de sédatifs a disparu. Aujourd'hui, plusieurs médecins L'ENSEIGNENT à leurs patients au lieu de prescrire des somnifères.

Je me souviens entre autres d'une dame qui prenait des somnifères depuis une vingtaine d'années. Je lui ai confié la formule et, dès le premier soir de son utilisation, elle a éliminé toute consommation. En plus d'avoir retrouvé le sommeil naturel, elle a repris goût à la vie. Depuis, dès son réveil, elle a hâte de commencer sa journée et de profiter au maximum de chaque instant.

C'est facile à comprendre. Son organisme est libéré des effets d'une médication qui engourdit le système nerveux et le cerveau. Elle est devenue libre, loin de la dépendance aux médicaments. Elle a repris

GOÛT À LA VIE, elle a retrouvé sa CONFIANCE EN ELLE. Elle me confia quelques années plus tard qu'évidemment, certains soirs, le sommeil tardait à venir. Toutefois, connaissant par expérience les effets secondaires de toute médication, elle persiste dans son refus d'y recourir.

Pour des milliers de personnes dépendantes des pilules, comme par miracle, leur vie a changé. En soignant la qualité de leurs nuits de sommeil au naturel, elles vivent leur journée dans l'état conscient de leurs pensées constructives et changent ainsi toutes leurs vibrations pour être en liaison optimale avec la loi de l'ATTRACTION. Le bonheur, quoi !

CALOMNIE

Comportement qui attaque la réputation et l'honneur. Il est trop facile d'inventer de toute pièce un scénario bâti sur un jugement faussé par les émotions, sachant bien volontairement que vous vous attaquez à la réputation de quelqu'un afin de la démolir. Méchanceté !

Vous avez le droit à votre opinion. Une calomnie n'est pas une opinion, c'est une invention. Votre imagination fertile peut blesser, par cruauté.

Croyez-vous sincèrement juste et honnête une telle démarche ? Se référant aux autres pensées malsaines et à la compréhension de la loi de l'attraction, vous n'avez pas peur d'être victime un jour de calomnies ?

Comment vous en défendrez-vous ?

Je ne sais pas qui a dit LE SILENCE EST D'OR, mais il avait raison. Alors, taisez-vous !

COMPÉTITION

Cette énergie vécue dans les études, les sports, les affaires ou d'autres sphères de la vie privée devient vibration négative quand le sujet en compétition est motivé par de mauvais sentiments.

Considérons un couple où les revenus de la femme sont nettement supérieurs à ceux de son mari.

Cette situation entraîne très souvent des discussions désastreuses entre eux, des conflits provoqués par le besoin de domination chez l'homme, une attitude de mépris envers les succès de sa femme. Il est clair qu'aucun couple ne saurait résister longtemps aux tempêtes orageuses qui provoquent un amas de vibrations négatives.

Qui plus est, selon la fréquence et l'intensité des tempêtes, le taux vibratoire est toujours à son plus bas et met la relation en péril. C'est sournois, la compétition entre conjoints. Il faut s'en méfier, car avec le temps, elle annule tous les sentiments d'amour. Ce qui conduit souvent à la séparation.

La compétition alimentée par le désir de dépassement est une SAINE COMPÉTITION. La compétition motivée par la jalousie ou l'orgueil devient néfaste. Soyez donc attentifs à ce qui vous motive. GÉREZ VOS PENSÉES !

CRAINTE

Qu'est-ce que la crainte ? D'où lui vient son pouvoir annihilant ? Selon Orison Sweet Narden, elle n'a absolument aucune réalité ; elle n'est qu'un fantôme de l'imagination. Au moment où l'on s'en rend compte, elle cesse d'avoir du pouvoir. Si nous étions plus conscients et si nous pouvions comprendre que rien en dehors de nous-même ne peut nous nuire, nous ne craindrions rien.

La crainte détruit l'initiative. Elle tue la confiance et cause de l'INDÉCISION ; elle nous rend vacillants, nous enlève l'énergie pour entreprendre quelque chose et nous remplit de doute. La crainte nous ôte toute puissance.

Nous pouvons neutraliser une pensée de crainte en lui opposant comme antidote une pensée de courage, tout comme le chimiste détruit le pouvoir corrosif d'un acide en lui opposant son contraire, un alcali.

Le souci n'est qu'une forme de crainte. Il n'a pas beaucoup d'emprise sur un homme qui possède une bonne santé physique et mentale. Il attaque surtout les faibles, ceux dont la vitalité est amoindrie et l'énergie appauvrie.

La crainte ou la terreur qui nous envahit est toujours proportionnelle à notre faiblesse et à notre incapacité à nous défendre contre la cause qui l'induit.

Quand nous avons pris conscience de notre puissance et de ce qui nous terrorise, nous n'avons plus aucun sentiment de crainte.

La crainte déprime et rend esclave ; elle est fatale au développement. Si l'on ne s'en débarrasse pas, elle dessèche les sources de vie. L'amour, qui bannit la crainte, produit l'effet opposé sur le corps et le cerveau. L'amour élargit le cœur, l'intelligence aide au développement des cellules vitales et augmente la puissance cérébrale.

La crainte cause de terribles ravages dans l'imagination qu'elle remplit de toutes sortes de sombres tableaux. La foi est son antidote parfait. Car tandis que la crainte ne voit que les ombres et les ténèbres, la foi voit la bordure d'argent du nuage et le soleil derrière les nuées. La crainte regarde en bas et s'attend au pire ; la foi est optimiste. La crainte annonce toujours l'insuccès ; la foi prédit le succès. Il ne peut exister aucune crainte de pauvreté ou d'insuccès quand l'esprit est dominé par la foi. Le doute ne peut subsister en présence de la foi, car elle est au-dessus de toute adversité.

L'homme qui est paralysé par la crainte ne peut faire usage de toutes ses facultés. Il faut avoir l'esprit au repos pour posséder l'assurance, la confiance.

Certaines personnes sont constamment dans la crainte que quelque malheur arrive. Elles sont hantées par cette crainte, même dans leurs meilleurs moments. Leur bonheur en est empoisonné au point qu'elles ne jouissent vraiment de rien. Cette crainte s'est imprimée dans la trame de leur vie et leur excessive timidité la renforce.

La crainte modifie la circulation du sang et de toutes les sécrétions ; elle paralyse le système nerveux et peut même causer la mort, cela est bien connu. Tandis que tout ce qui nous rend heureux, toutes les émotions agréables relâchent les vaisseaux et facilitent la circulation du sang. La frayeur, au contraire, ressert ces vaisseaux et entrave cette circulation. On peut le constater en voyant pâlir ceux qui ont peur.

Si une terreur soudaine peut produire de tels effets, que dire de l'influence nuisible de la crainte chronique qui paralyse l'organisme pendant des années et le tue lentement. Le taux vibratoire étant très bas, il détruit le moral et attire le négatif dans tous les autres domaines de la vie.

Dans la vie réelle, il n'est pas toujours évident de contrôler chaque situation, j'en conviens. Sachant que vous nourrissez les situations par vos pensées d'une manière déplaisante, vous accélérez leur réalisation négative.

Vous avez deux choix. Le premier est celui de faire basculer un événement par vos pensées, en évitant toujours la prise de pouvoir. Le deuxième est celui d'accepter la situation qui se présente et de passer à l'action pour changer l'aspect négatif qu'elle comporte dans votre vie.

Un jour, un homme m'a téléphoné en état de panique. La banque venait de mettre les scellés sur son compte d'entreprise. En pareil cas, la seule avenue possible est généralement la faillite. Je l'ai rassuré et l'ai invité à venir me rencontrer avant le début de l'atelier. Je lui ai proposé de suivre la formation que je donnais et de ne me payer que s'il obtenait des résultats satisfaisants.

J'ai été très clair. Je ne ferais rien pour lui, mais il avait tout en lui pour éviter la faillite. En se servant de cette formation, il réussirait. Ses employés ont travaillé durant deux mois sans être payés ; ils avaient confiance. Cet entrepreneur est allé chercher d'autres contrats. Aussi, il a analysé son organisation et, après y avoir apporté quelques changements, tout est rentré dans l'ordre.

Dans ce cas précis, il était trop tard pour accepter comme premier choix de faire basculer l'événement, car la banque avait déjà agi. Connaissant sa situation financière, le patron aurait pu faire basculer la décision de la banque en gérant bien ses pensées. Mais, mis devant le fait accompli, il était trop tard. Il a donc opté pour le deuxième choix, c'est-à-dire celui d'accepter la situation et de modifier sa façon de voir les choses, ce qu'il s'est empressé de faire, et avec succès. RÉAGISSEZ POSITIVEMENT ! GÉREZ VOS PENSÉES !

CRITIQUE

La critique objective stimule les énergies et dynamise notre marche vers le succès. Cependant, la critique négative abaisse le taux vibratoire et nuit beaucoup à l'évolution de l'émetteur. Il y a des personnes qui critiquent à propos de tout et de rien. Elles récriminent tout le temps. Jamais elles ne sont satisfaites de la situation et toujours elles trouvent quelque chose à redire. Éternelles insatisfaites, elles rouspètent constamment. Ainsi, malheureusement, elles gardent leur taux vibratoire à un bas niveau.

La critique est en liaison avec le JUGEMENT. Attention à la façon dont vous jugez les autres. Est-ce avec un regard empreint de sagesse pour améliorer une situation ? Au travail, par exemple, est-ce dans le seul but de nuire à la personne, de prendre sa place ou de la faire congédier ?

Si vous avez un jugement malsain, sévère et destructeur, vous serez jugé de la même façon. Personne n'est exempté de la loi de l'ATTRACTION.

Assumant un poste de responsabilité, il y va de votre devoir de juger la qualité du rendement de votre personnel. Votre taux vibratoire n'en sera pas modifié. La critique émise pour améliorer une situation relationnelle, professionnelle ou autre reste également dans les vibrations optimales. Dans un contexte de nuisance, toutefois, elle attirera le retour des vibrations négatives.

CRUAUTÉ

En général, on pense que la cruauté, dans le sens large du mot, est l'apanage des guerres. Or, il y en a beaucoup plus qu'on peut se l'imaginer dans la vie de chaque personne en tant que conjoint, parent, enfant. Et que dire de celle faite aux parents âgés par certains enfants ? Comment est-ce possible ?

Malheureusement, la cruauté existe et elle fait toujours une ou plusieurs victimes. Quelqu'un qui souffre, quelqu'un de faible et sans défense, qui se laisse souvent manipuler pour acheter la paix. La cruauté mentale, c'est insidieux.

Il peut s'écouler beaucoup de temps avant de réaliser qu'on est cruel. Tant que la victime ne manifeste pas sa grande souffrance, on peut tellement la blesser qu'on en arrive à détruire la relation. Ou encore, il peut falloir du temps pour réaliser que l'on vit sous les sévices de la cruauté. On n'en prend conscience qu'au moment où l'on n'en peut plus. Les sentiments ainsi détruits, le cœur meurtri cherche à retrouver la paix.

La méchanceté est proche parente de la cruauté. On détecte rapidement quelqu'un de méchant, parce qu'il l'est dans tout son être, que ce soit dans ses paroles, ses actions, ses jugements, bref en tout. Il a toujours des idées tordues, négatives à tout propos, il ne voit que les mauvais côtés de quelqu'un, jamais les bons. Avare de compliments, il les remplacera par des mots avilissants. Il méprise souvent les autres.

Je crois qu'on a un penchant méchant naturel. Cette inclination n'est pas due exclusivement à l'éducation, bien qu'elle provienne en partie du milieu familial et de l'éducation qu'on y a reçue, bien sûr. Mais il y a beaucoup plus de méchants qui se sont formés sur le tas. En parlant de méchanceté, je ne parle pas de banditisme, je parle ici de Monsieur et Madame Tout le Monde, qui, dans leurs attitudes, se laissent aller à des comportements de basse espèce. Inconsciemment, ils nuisent à leur taux vibratoire. C'est la loi de l'ATTRACTION.

CULPABILITÉ

En général, la femme est beaucoup plus touchée que l'homme par la culpabilité. Elle endosse facilement tout ce qui se vit dans la cellule familiale, tout est de sa faute. Souvent, par son éducation, l'homme laisse son épouse accepter la responsabilité, tout en lui imposant ses lois. Elle n'a pas d'autre choix que d'être soumise.

Les temps ont changé. La femme est moins docile qu'autrefois. Pour beaucoup, elles assument leur carrière et délaissent à leur mari une part de l'éducation des enfants, qui est aujourd'hui une responsabilité de couple.

La culpabilité n'est pas le lot exclusif des femmes ; elle fait partie intégrante de la personnalité. Êtes-vous obligé d'être le bouc émissaire de tout le petit monde qui vous entoure ? À la maison comme au travail, pourquoi acceptez-vous tout sans jamais rien dire ? Pour qu'on vous AIME ? Parce que vous avez peur, pour ÉVITER d'être perdant, pour ATTÉNUER une situation... Peu importe la raison, vous croyez que c'est la solution. Mais vous avez tort. Pire encore, vous diminuez votre taux vibratoire.

Que ce soit par éducation, par obligation ou par esprit de sacrifice, vous vous livrez en pâture aux excès de toutes sortes : excès social, excès marital, etc. Vous subissez des chocs psychologiques dévalorisants, votre taux vibratoire en souffre.

Pour bien comprendre le sens de la culpabilité et jusqu'à quel point vous vivez ce conditionnement mortel, ÉVALUEZ-LE. Prenez une feuille et dressez la liste de tout ce que vous assumez comme charge psychologique, qu'elle soit présente ou passée, qui hante votre mémoire et qui vous fait souffrir.

Sans juger ni excuser, remettez à qui de droit la responsabilité de ses actes. Si la situation résulte d'une erreur humaine, PARDONNEZ. Si elle est due à une incidence de la vie ou du destin, comme certain le croient, ACCEPTEZ-LA. Si vous avez couru après par faiblesse ou par ignorance, RECONNAISSEZ-LE. Et tout cela, afin de toujours maintenir votre taux vibratoire à un haut niveau.

ÉGOÏSME

Je place l'égoïsme dans les éléments négatifs, parce qu'il diminue le taux vibratoire et nuit à son évolution. La personne égoïste éprouve un attachement excessif envers elle-même. Égoïste dans ses pensées, égoïste en tout point : amour, attitude, état d'esprit...

Il est très difficile de côtoyer des personnes égoïstes, parce que ce type de comportement va à l'encontre d'un principe vital : l'amour, le don de soi. On le remarque très facilement en société, parce que les égoïstes ont très peu d'amis en général. Seules quelques connaissances et quelques relations superficielles meublent leur vie. Les contacts avec les autres sont limités à cause d'eux. En pensée, ils sont renfermés dans leur petit monde. Comment voulez-vous qu'ils soient d'une générosité remarquable ? S'ils l'étaient, ce serait en troquant un geste contre un autre.

Les égoïstes ne reconnaissent pas la gratuité. Ils calculent tout. Je me permets une note d'humour en ajoutant qu'ils gèrent très bien leurs pensées ! Car pour eux, gérer, c'est avant tout calculer. Ce sont des profiteurs. Par tous les moyens, ils réussiront à vous manipuler afin de protéger leurs intérêts au détriment des vôtres.

ENVIE

L'envie est un sentiment de tristesse, d'irritation et de haine.

Je connais des élèves chez qui ce sentiment est tellement fort que depuis déjà très longtemps ils tournent en rond sans comprendre pourquoi.

Tous les succès, tous les bonheurs et toutes les joies sont gérés par la pensée. Pour eux, la gestion se ramène à l'obsession de questionner Dieu, l'Univers ou je ne sais qui ou quoi :

- Pourquoi, pourquoi, pourquoi...
- Pourquoi tout leur semble-t-il facile ?
- Pourquoi eux et leur famille ne sont-ils jamais malades ?
- Pourquoi l'argent leur sort-il par les oreilles ? Ils en ont beaucoup trop, ils devraient partager avec nous.
- Pourquoi eux sont-ils toujours heureux ?
- Pourquoi leurs enfants réussissent-ils très bien et les miens sont-ils moins remarqués ?

Ils s'occupent constamment de ce qui se passe chez leurs voisins. Ils leur en veulent, leur reprochent la facilité de leur vie, leur succès. Lorsqu'ils se regardent, ils ne voient que l'aspect négatif et déprimant de leur vie.

À ceux-là je CRIE : « MÊLEZ-VOUS DE VOS AFFAIRES ! Arrêtez, vous perdez votre temps, un temps fou à savoir pourquoi, à essayer de comprendre pourquoi les autres ont ce que vous n'avez pas. Votre vie est déprimante parce que vous la vivez sur le dos du prochain. Vos rêves sont impersonnels et vos ambitions deviennent inaccessibles. Vous ne trouverez jamais aucune solution en étant constamment branchés sur l'un de vos semblables. »

Je sais que c'est loin d'être facile quand on a vécu toute sa vie au crochet de l'envie. Arrêter maintenant semble possible pour les autres, mais pas pour vous. L'envie est comme un germe cancéreux qui se développe.

Avez-vous imaginé un seul instant quelle sera votre vieillesse ? Vous serez aigri, frustré, malveillant et désagréable. Vous vivrez dans l'amertume du passé, d'un passé inutile parce que vous l'aurez vécu en désaccord avec la grandeur d'âme et la magnanimité. Vos vibrations seront d'un bas niveau et vous resterez dans le mal-être.

Mêlez-vous de vos affaires, cessez immédiatement de vous comparer aux autres et commencez à valoriser la merveilleuse personne que vous êtes. N'oubliez pas que toute votre vie dépend de votre façon de penser. En entreprenant maintenant ce travail sur vous-même, le fruit de vos efforts sera l'HÉRITAGE de votre retraite.

HAINE

J'aurais bien voulu éviter ce sujet, mais, il faut bien l'admettre, la haine existe. Dans notre monde soi-disant civilisé, un climat de violence et de révolte règne partout sur la planète. Il serait simple d'attribuer uniquement aux guerres le terme de HAINE. D'ailleurs, je suis convaincu que parmi ceux qui se battent en temps de guerre, plusieurs le font pour l'honneur, certains par esprit de solidarité, d'autres par courage. Combien de soldats ou partisans le font avec la haine au cœur ? J'ose croire qu'il y en a très peu.

J'oserais dire que la haine est plus dévastatrice autour de nous que sur un champ de bataille. Combien d'âmes tue-t-elle ? Les gens s'entretuent beaucoup plus en paroles qu'en action. Les méchancetés verbales ont très souvent limité l'évolution de l'autre et lui ont causé des préjudices. Vous diminuez votre taux vibratoire quelle que soit la teneur haineuse de vos pensées et de vos paroles.

Lorsque vous vous réjouissez des malheurs d'un autre, d'un échec amoureux, d'un revers de fortune, d'une dégradation professionnelle, d'une maladie, etc., votre taux vibratoire diminue et vous vous livrez au pouvoir de la loi du retour. Dans le présent cas, deux éléments jouent donc en votre défaveur dans la loi de l'ATTRACTION. Il faut toujours éviter tous les jugements et les commentaires malsains à l'égard d'autrui.

Réfléchissez. Il y a beaucoup de jeunes aujourd'hui qui ont choisi de s'identifier à la violence en se regroupant, en s'habillant de façon agressive et colorée, pour attirer l'attention, s'affirmer ou se révolter contre les parents, l'éducation, la société. Mais au fond d'eux-mêmes, ce sentiment est loin d'être le reflet de leur personnalité. Ils cherchent leur vraie identité. Leur chef de file, lui, par contre, s'alimente de haine pour nourrir ses ouailles de cette vibration fatale. Ignorant sans doute les forces énergétiques, il s'en sert par instinct pour apprendre à son commando à faire le mal. En fait, beaucoup de petits groupes créent des peurs et sèment l'agressivité.

Aujourd'hui, je remets nos lendemains en question. Quels seront les effets secondaires de l'ère des jeux électroniques sur les enfants actuels ? Ils éprouvent les sensations fortes du conquérant, ils apprennent à se battre contre des ennemis imaginaires. Inconsciemment, ils acquièrent un comportement de guerrier. Vu objectivement, ce changement de comportement peut être très bon et leur permettre de faire naître en eux un fort sentiment d'autonomie. Vu négativement, ce changement peut prendre la forme d'un sentiment de rébellion.

J'ai l'impression que nous verrons apparaître très bientôt une génération de dominateurs, de machos qui, habitués à se battre dans des jeux, auront de la difficulté à s'intégrer dans une société calme et paisible.

Conséquences et séquelles : ma présomption est loin d'être chimérique. Aujourd'hui, dans les écoles, il y a une moyenne très élevée de jeunes qui sont armés. Ils se sentent menacés. Ils sont inquiets. Ils croient se protéger. Qui, à notre époque, aurait pu penser aller à l'école armé ? C'était le temps du *Peace and Love.*

La société a un besoin URGENT d'une thérapie afin d'enseigner l'amour et non la guerre, la paix et non la violence. Heureusement que nous sommes dans l'ère du Verseau, une ère de spiritualité.

La prévention contre la haine est l'amour, le pardon. S'il existait en vous un sentiment d'ENVIE ou de RESSENTIMENT, arrêtez son évolution en appliquant les solutions suggérées. Protégez-vous de ces pensées qui sont de la pure destruction.

Si vous êtes d'un tempérament agressif dans vos discussions avec votre conjoint, ÉVITEZ les débats en présence de vos enfants et même de vos adolescents. Soyez discret afin de limiter les dégâts. Ce n'est pas toujours facile, je le sais, vu que plusieurs circonstances peuvent être incontrôlables, tels que l'état d'ébriété, les frustrations, les incidents de la vie, etc.

HONTE

C'est le souffre-douleur de l'erreur. La honte réduit notre personnalité, détruit la confiance, par conséquent diminue le taux vibratoire. C'est l'humiliation, le déshonneur d'une situation passée qui se vit au présent.

La honte est liée à une erreur passée. Qui ne l'a jamais ressentie ? En acceptant le fardeau de la honte, vous limitez les élans de votre personnalité. Vous vivez triste et malheureux. C'est reconnaître le verdict de la société et lui donner raison.

La honte est un élément de destruction. Il y a des gens qui vivent depuis trop longtemps sous la jupe de la honte. Ils s'enfoncent dans la solitude, caressent le désespoir et s'enivrent de culpabilité. Ils sont perdus dans les nuages gris de leurs pensées.

Pour se sauver de ce handicap, il faut RECONNAÎTRE son erreur. ACCEPTER les conséquences de l'erreur, se PARDONNER, car nul n'est parfait, et surtout, il faut S'AIMER.

Ne vous préoccupez pas des gens qui ont du temps à perdre à vous juger. Dès maintenant, enlevez cette charge de vos épaules et affrontez la vie.

Souriez. Le bonheur, c'est aujourd'hui. L'erreur, c'était hier.

HUMILIATION

Humilier une personne, c'est s'autoriser un geste que personne n'a le droit d'accomplir, peu importe les circonstances. Malgré toutes les peines et les rancœurs possibles, il est inadmissible de s'adonner à une telle attitude envers l'autre. En le faisant, l'émetteur rabaisse son taux vibratoire et il nuit à son évolution.

L'individu qui se sert de l'humiliation pour assouvir sa vengeance est un être petit en pensée et en énergie. Il piétinera dans la vie tant et aussi longtemps qu'il n'aura pas changé sa manière d'agir. Il est une personne très malheureuse en quête d'attention pour se faire une place dans la société ou dans un groupe d'amis.

Être une victime d'un tel individu est attristant. Que faire ?

Je vous propose une formule qui changera toutes les énergies négatives en énergies positives et fera cesser tous propos négatifs dans l'immédiat.

- **Univers infini, toutes les pensées et les paroles négatives retournent à son émetteur en énergie d'amour immédiatement.**

Vous serez étonné des résultats. En plus, vous resterez serein face à cette personne et aucune pensée négative n'habitera votre esprit à son sujet.

Un jour, trois sœurs étaient aux prises avec de la magie noire. Étant victimes d'un mauvais sort, elles voyaient leur commerce péricliter. Prises de panique, elles communiquèrent avec moi et, dès qu'elles appliquèrent cette formulation, tout a cessé. Les affaires ont repris pratiquement le jour même.

Tout est une question d'énergie. Lorsqu'on retourne à son émetteur ses vibrations dans une autre énergie, son attitude comme son comportement se transforment instantanément et il n'a alors ni envie ni désir de persévérer dans ses maléfices.

IMPATIENCE

Tout comme la colère, l'impatience est impulsive. Cette réaction est suscitée par un surplus d'éléments négatifs. Vous avez oublié ou cessé de gérer votre équipement mental, et voilà que l'engrenage est déréglé. Pour vous, ça ne va pas assez vite.

Tout est lié. Si vous êtes bien avec vous-même, si vous êtes calme et détendu, alors vous êtes patient. Lorsque tout se brouille et que vous réagissez en laissant vos pensées adoucir votre tempérament, alors vous embellissez votre personnalité. Avez-vous remarqué que tout est lié par une relation de cause à effet ? Les pensées interagissent sur vous sur plusieurs plans :

- attitude ;
- état d'esprit ;
- état d'âme ;
- caractère ;
- tempérament ;
- personnalité.

Depuis le tout début, je vous ai souvent parlé des forces motrices de vos pensées. En découvrant toute la complexité du mécanisme, vous avez pensé qu'il serait ardu d'entreprendre cette démarche, croyant devoir travailler sur tous ces points de l'ensemble des caractéristiques de l'être humain pour enfin apprendre à gérer vos pensées. Eh bien, non. C'est le contraire. Car si vous gérez vos pensées :

- votre attitude change ;
- votre état d'esprit s'équilibre ;
- votre état d'âme est heureux ;
- votre caractère s'assouplit ;
- votre tempérament s'harmonise extérieurement avec votre intérieur ;
- votre personnalité change.

En travaillant sur la qualité de vos pensées, vous travaillez sur vous-même en entier et votre taux vibratoire s'améliore. Ainsi le veut la loi de l'ATTRACTION.

Je ne compte plus les commentaires élogieux que j'ai reçus grâce à la technique de la GESTION DE LA PENSÉE, tant ils sont nombreux. De tous ces commentaires, un plus particulièrement m'a fait réaliser tous les bienfaits de cette technique.

Monsieur Jean-Marie Nantermans, de Bruxelles, me disait que la Gestion de la Pensée est comparable à un scalpel, alors que toute autre méthode de croissance ressemble plutôt à un couteau de cuisine.

INFÉRIORITÉ

On dit que certains sont en mal de supériorité et d'autres souffrent d'un complexe d'infériorité. Chez une personne, la supériorité est toujours apparentée à l'orgueil, et l'infériorité, à la médiocrité. Cette correspondance ne se vérifie peut-être pas dans les dictionnaires, mais c'est là le sens que prend ce mot dans la vie réelle.

Le SABOTEUR se charge, chez le faible, de le prendre en main, de tuer pour ainsi dire toute sa confiance en lui. Il ralentira perpétuellement sa réalisation sur tous les plans. « T'ES PAS capable de... T'ES PAS assez bon... grand... fort pour... », etc. Il a toujours cette phrase négative en tête, il abaisse le taux vibratoire de la loi de l'ATTRACTION.

Bien souvent, la cause remonte à l'éducation reçue. Au lieu de donner des encouragements, des félicitations, les parents réprimandaient à tout propos, en oubliant la moindre marque de reconnaissance. L'enfant a grandi en se faisant rebattre les oreilles avec une quantité de surnoms l'abaissant, le ridiculisant. Ses parents, que je qualifie d'irrespectueux, ont tué l'amour de soi chez l'enfant. Devenu adulte, il sera marqué par le manque de confiance. Quelle tristesse !

INQUIÉTUDE

Je ne sais pas qui a dit « L'inquiétude est meurtrière », mais il avait raison. Le flot d'inquiétudes qui habite notre esprit est le miroir de nos angoisses, anxiétés, craintes, etc. La vie, pour nous, n'est pas faite que de grands sacrifices ou d'une série de crises tumultueuses, mais plutôt d'une éternelle continuité de « petites choses ».

Il y a des gens qui sont capables de survivre aux dures épreuves de leur vie..., d'affronter les grosses tempêtes parce qu'ils ont appris à contrôler le mécanisme de leur pensée. Par contre, il y a aussi des gens qui, devant un simple début d'orage, se rongent d'inquiétude et se font un cinéma de leur malheur. Inconsciemment, ils brûlent leurs énergies constructives par des pensées négatives et vivent pleinement le drame de leurs inquiétudes, faisant ainsi baisser leur taux vibratoire.

Ne soyez plus l'une de ces victimes ; il y a des solutions. Je vous donne cinq façons de vous défendre contre les inquiétudes, et surtout de les éliminer de votre quotidien. Les inquiétudes ternissent votre existence et vous empêchent de vivre votre bonheur au jour le jour avec calme et sérénité.

- Affrontez les problèmes.
- Rassemblez les faits.
- Acceptez les conseils.
- Cherchez une solution.
- Mettez cette solution en pratique.

Devant les situations aux éléments inquiétants, tout est apprentissage. Rester optimiste, croire et faire tout en son pouvoir pour transformer le présent en un futur meilleur par ses pensées, cela nous munit de l'énergie qu'il nous faudra pour transformer notre avenir.

C'est là l'unique façon de faire. Se morfondre en pensées négatives, c'est préparer un avenir qui en sera le reflet, donc triste et ennuyeux. Mais avec des pensées bien orchestrées, les résultats seront bien différents : un avenir passionnant et une qualité de vie conforme à celle que nous avons choisie. Pourquoi s'obstiner à gérer toujours du négatif et à voir la vie en noir, alors que par la pensée nous avons tous en nous les moyens pour nous réaliser ?

Aujourd'hui est la seule journée que vous puissiez vivre. Ne la transformez pas en ENFER physique et mental pour des inquiétudes au sujet de l'avenir ou en vous tracassant au sujet de l'erreur faite hier.

CESSEZ DE VIVRE AU CRÉDIT DE L'AVENIR, C'EST UNE MAUVAISE AFFAIRE.

INSÉCURITÉ

L'insécurité désarçonne votre évolution, elle déséquilibre votre santé mentale au point de vous faire perdre le contrôle de la situation. L'insécurité participe à bien des aspects du quotidien : émotif, santé, financier, professionnel et relationnel. Oscar sème des doutes dans votre esprit sur un sujet qui vous préoccupe, et vous voilà engagé dans une phase d'insécurité.

Avec tous les outils que vous aurez en main, vous serez en mesure de voir venir et de prendre le taureau par les cornes, de garder confiance en vous et de passer à l'action. Tant que vous serez dans un esprit d'insécurité, vous n'engendrerez que des situations troublantes qui détruiront votre avenir. L'insécurité est comme les autres affections ; vous vous devez d'être vigilant et attentif à vous et à votre esprit conscient afin de maintenir un bon taux vibratoire.

JALOUSIE

Les personnes qui éprouvent ce sentiment limitent leur générosité envers autrui. Elles ressassent continuellement leurs pensées sur les réalisations de leur prochain et oublient leurs propres objectifs pour idéaliser les autres.

La jalousie est un réflexe raisonnable. Analyser une situation afin de vous positionner est loin d'être de la jalousie ou un jugement téméraire. Au contraire, cela peut être un outil de motivation afin d'améliorer certains facteurs de votre personnalité et d'augmenter votre taux vibratoire.

Les jaloux maladifs détruisent leur entourage. Malheureux, ils entretiennent des jugements ambitieux. Très souvent, leurs remarques sur telle personne ou tel point sont synonymes de méchanceté. On reconnaît facilement les personnes jalouses. Leurs vibrations sont négatives, leurs réactions, autoritaires, et leurs lèvres, tendues. Le ton de leur conversation est dictatorial.

La jalousie les obsède, ronge leur état d'esprit. Avec leurs critiques incessantes au quotidien, ces personnes créent l'impression d'être supérieures et meilleures que les autres. Les personnes jalouses vivent dans leur univers. Elles se détruisent, se renferment sur elles-mêmes, et leurs jugements sont limités aux critiques malsaines et maladives.

Si vous êtes parmi ceux dont la jalousie hante l'esprit et trouble la personnalité, attaquez ce sentiment maintenant avec sérieux. Avant aujourd'hui, vous n'étiez peut-être pas conscient qu'il était la cause de votre insuccès. Le temps que vous prenez à observer les autres ralentit votre cheminement par des vibrations de bas niveau. Cessez de caresser le négatif et reconnaissez les grandes qualités de vos semblables. Admettez avec sincérité leur bonheur, leur chance, leur talent. Arrêtez d'être CRITIQUE. Soyez JUGE. Un juge honnête et juste.

Vous éprouverez un grand sentiment de fierté lors de vos premiers combats et surtout un sentiment de libération. Continuez à travailler sur vous-même et vous aurez de l'admiration pour l'extraordinaire personne que vous êtes.

LÂCHETÉ

Rien n'est plus vilain chez un homme que la lâcheté. À mon avis, il n'y a rien de plus bas. C'est manquer de dignité, ne pas avoir d'amour-propre, ne pas s'aimer.

Comment peut-on vivre avec une conscience pleine de remords et de réprobation pour une lâcheté commise ? Encore une fois, c'est le SABOTEUR qui est venu influencer le porteur de la pensée au détriment d'une victime. Oscar remplace la lâcheté par la culpabilité, et le tout sera réglé. C'est faux ! C'est la conscience d'un faible qui agira de la sorte. Mais un homme, un vrai, restera marqué par son manque de courage ou son incapacité à passer à l'action.

Si vous vivez présentement avec une telle obsession en tête, vous connaissez la cause et la raison de votre faiblesse. Pardonnez-vous et arrêtez de vous nourrir de reproches afin de vous repositionner dans des vibrations supérieures.

MANIPULATION

Nous sommes tous des manipulateurs et nous sommes tous manipulés. La manipulation joue un rôle extrêmement délicat dans les rapports entre individus. Certains ont un charisme irrésistible et ils s'en servent au maximum, en manipulant. Les plus faibles, quant à eux, se laissent manipuler.

On imagine que la manipulation est le fait des politiciens, des patrons et de certains chefs de file. Et vous, n'avez-vous jamais manipulé votre conjoint, ou une autre personne dans un but bien précis ? Jamais, vraiment ? Il existe plusieurs façons de manipuler l'autre, et la relation amoureuse offre un terrain de choix pour ce genre de gymnastique.

Il y a bien des façons de manipuler. Je n'énumérerai pas ici toutes les stratégies possibles. J'aborderai seulement le sujet de l'amour. Avez-vous pensé que, souvent, on s'en sert pour faire plier l'autre ? Il y a plusieurs manières de procéder, mais, chaque fois, on jongle avec les vibrations de l'autre. Attention à la loi de l'ATTRACTION !

La **gentillesse** peut devenir de la manipulation lorsque vous vous en servez pour obtenir une faveur de l'autre ou encore pour vous faire pardonner une bêtise. Vous utilisez alors vos atouts pour atteindre votre but. La gentillesse calculée, intentionnée, est un abus de pouvoir sur l'autre. Vous agissez avec délicatesse pour influencer votre partenaire ou encore pour obtenir une réponse favorable.

Beaucoup de personnes faibles se sentent constamment manipulées. Il est vrai que, dans le domaine relationnel, la manipulation joue un rôle. Dans une relation amoureuse, je dirais que c'est au nom de l'amour, et par amour, que la faiblesse prend la place de ce sentiment partagé. Lorsque la manipulation est au programme de notre relation amoureuse, c'est que celle-ci commence à se ternir. Malheureusement, trop sensible aux vibrations, votre cœur accepte d'être manipulé pour préserver l'amour. Mais n'est-ce pas plutôt par facilité que l'on accepte d'être le jouet de l'opportuniste ?

Le **sexe** est l'action qui, bien souvent, nourrit la relation. Vous acceptez ou vous donnez en échange le plaisir pour assouvir un besoin physique et psychologique. Or, au fond, il y a parfois un élément manipulateur qui domine la relation. Le profiteur exerce sur l'autre une pression morale pour atteindre son orgasme, sa satisfaction personnelle. Le faible accepte par soumission les plaisirs du jeu.

Nous sommes tous manipulateurs, dominateurs, et c'est parfois la faiblesse qui gouverne. Les circonstances font que vous jouez tantôt le rôle du fort, tantôt le rôle du faible. Vous pouvez vous sentir coupable d'être faible quand vous vous sentez dépossédé de vos propres valeurs et que vos attentes sont déçues par le comportement du partenaire.

Dans le couple, la communication est l'élément essentiel. Mais malgré beaucoup d'efforts, il y règne parfois une absence totale d'écoute. Comment exprimer sa peine et ses souffrances lorsque l'autre n'entend pas ? La solution : la **bouderie.**

La bouderie est le comportement du faible, alors que l'indifférence est celui du manipulateur. On boude pour faire passer un message. Lequel ? Celui de son cœur blessé qui souffre en silence. On espère que l'autre finira par comprendre et par s'interroger. Hélas ! il est aveugle ou encore la situation l'arrange, car de cette manière, la discussion est close. Mais le problème demeure.

La période de brouille peut varier de quelques heures à quelques semaines. C'est la gravité de l'écorchure ayant occasionné la peine qui en détermine la durée. Il y a aussi l'insensibilité de l'autre qui accentue les tensions et en augmente la durée. Vivre dans un tel climat, c'est s'autodétruire et abaisser son taux vibratoire – toujours cette loi de l'ATTRACTION ! – pour être encore plus manipulable inconsciemment.

L'**indifférence**, c'est de l'arrogance provocatrice pour accentuer la bataille entre deux personnes. Le provocateur rabaisse son taux vibratoire. Souvent très sensible intérieurement, l'indifférent agit ainsi pour sauver la face et surtout pour garder le contrôle sur une situation qu'il a provoquée. Dans le fond, c'est un tendre qui souffre tout autant que l'autre de la déchirure.

L'**argent** est une énergie qu'il faut apprivoiser. C'est une énergie de joie, de bonheur, mais également d'insatisfaction, de peine, de négociation, de stress et de manipulation. Dans le couple, cette énergie est souvent la cause de discussions orageuses, parce que l'un ou l'autre l'utilise comme argument défavorable au lieu de chercher une solution.

On utilise l'argent pour obtenir une faveur, on étudie la situation, on apprivoise le jeu et on passe à l'action. Le pouvoir de l'argent est une triste réalité qui détruit souvent l'harmonie dans une liaison. Il peut être parfois un élément de compétition dans le couple. Malheureusement, il faut bien le souligner, il y a des femmes qui cherchent un homme aux revenus élevés afin de s'assurer un certain confort et une qualité de vie supérieure à la moyenne. Il y a aussi des hommes qui profitent de leur argent pour abuser des femmes.

À une certaine époque, les femmes, surtout, utilisaient les larmes pour manipuler, et cela existe encore aujourd'hui. Quelques larmes et le tour est joué. Le conjoint ou les enfants changent d'attitude pour ne pas faire de peine. Le problème n'est pas résolu, il a été camouflé derrière un déluge de larmes et on évite ainsi les frais d'une démarche approfondie par une bonne discussion.

MANQUE DE CONFIANCE

Personnellement, je dis que le manque de confiance est la maladie du siècle. C'est dramatique de voir autant de personnes atteintes de cette tare. C'est encore et toujours le SABOTEUR qui ne laisse jamais personne tranquille et qui profite de la faiblesse de certains pour contrôler leur vie.

En se servant des énergies et en s'octroyant le droit de réussir et d'obtenir du succès, on prend un engagement envers soi-même. Pour plusieurs, le succès fait peur. Le succès, c'est très exigeant. Cela demande de la persévérance, de la ténacité, des efforts et souvent beaucoup de sacrifices. On attribue le succès à la chance, ce qui correspond à une part de vérité. Mais la chance n'arrive pas à celui qui n'a pas confiance. Pourquoi ? Eh bien, parce qu'il ne la prendra jamais, puisqu'il n'a pas confiance.

À mon avis, la facilité dans la vie n'existe pas. Il faut être armé d'une bonne dose de confiance pour se réaliser. Avec l'Univers et une bonne gestion de ses pensées, tout devient possible.

Transmettez cette notion à vos enfants. Il faut les complimenter, reconnaître leurs valeurs et leurs réussites. Évitez de les critiquer constamment, de les juger sévèrement, donnez-leur des chances de vous prouver et de se prouver à eux-mêmes tout le potentiel qu'ils ont en eux. Ne doutez pas de leurs capacités, de leur personnalité. N'avez-vous pas confiance en l'éducation que vous leur avez donnée ? Même si parfois quelque chose peut ne pas vous sembler raisonnable, ils vivront leurs expériences, tout comme vous l'avez fait vous-même. Qui n'a pas commis d'erreurs ?

En conclusion, pour arriver à bien GÉRER sa vie, il faut avant tout GÉRER ses pensées. Cesser un seul jour son entraînement, c'est retomber dans ses vieux schémas de pensée. Vous stagnerez ou reculerez, et cela retardera l'atteinte de votre objectif.

Pour GAGNER, il faut d'abord PENSER, puis GÉRER, après quoi, en conclusion, vous GAGNEREZ. On ne peut inverser les étapes, c'est une règle fondamentale.

Je sais que beaucoup de personnes sautent vite à la conclusion : GAGNER. Vous réaliserez que ce n'est pas qu'en appliquant quelques formules ou quelques exercices que le tour sera joué.

Cela marche certainement, mais pour une réussite constante, pour vivre dans l'euphorie du bonheur, ce ne sont pas des expériences partielles qui vous feront atteindre la béatitude.

Pourquoi se refuser ce droit aphrodisiaque quand la source maîtresse est en vous ? Vous seul pouvez répondre à cette question.

Je me suis fait un devoir de vous inciter tout au long de cet ouvrage à PENSER et à GÉRER. Maintenant, RÉCOLTEZ ! En transformant votre système de pensée, vous élèverez votre taux vibratoire et vous n'attirerez que du bonheur. Vous serez fier de vous, car vous aurez CONFIANCE EN VOUS.

Moi, je continue mon entraînement journalier, car pour rien au monde je ne voudrais perdre mon bien-être.

MAUVAISES HABITUDES

Les mauvaises habitudes sont des manières d'agir individuelles et fréquemment répétées. Dans la pratique, vous avez reconnu, chez vous ou chez quelqu'un d'autre, une ou des mauvaises habitudes.

En résumé, une mauvaise habitude est tout ce qui est EXCESSIF. Par exemple : dans la cuisine, qu'il y ait quelques fruits sur le comptoir, un léger amas de factures, de la vaisselle sale dans l'évier, ce n'est pas du désordre, c'est une cuisine vivante.

Vivre dans le désordre, c'est donc une cuisine où il y a une montagne de vaisselle à laver et plein de choses à ranger. L'espace vital y est tellement réduit que cela vous rend malade. Un tel désordre fait baisser le taux vibratoire, car il est automatiquement en disharmonie avec les bonnes vibrations que la loi de l'ATTRACTION exige.

Les mauvaises habitudes reflètent un désordre intérieur. L'extérieur est le miroir de l'intérieur.

Chez les adolescents, c'est une mode que de vivre dans une chambre ou un studio complètement désordonné. C'est normal, car ils sont perturbés par leur avenir. Leur intérieur est manifestement trouble, leur environnement l'est tout autant.

Il y a aussi ce que je nomme le désordre cinématographique, dans lequel l'adolescent maîtrise le chaos de son environnement. Tout ce qui se trouve dans les lieux de rangement tels que la commode, le placard, la table de travail, est toujours en ordre. Par contre, l'aspect extérieur de la pièce reste « bordélique ». En fait, son environnement représente le côté social de ses relations. Il va chez les uns et les autres, et si son environnement n'est pas à l'image de ses fréquentations, il y aura coupures. Et ça, il ne le veut pas. C'est donc par instinct qu'il agit ainsi. Que ses lieux de rangement soient en ordre atteste qu'il est bien, intérieurement.

Je sais que le désordre chez les adolescents fait le grand désespoir de bien des parents, devenant même bien souvent une source de conflit. Voici un conseil que je me permets de vous donner : respectez son environnement, fermez la porte. Acceptez que cela fasse partie de son évolution et vous serez en paix avec vous-même.

MÉDISANCE

Une vérité qu'on doit garder pour soi, qu'on ne doit pas répéter. Une expérience vécue par vous-même, que vous devez garder pour vous.

Les cancans sont le fruit défendu du jugement. Par vos bavardages, vous risquez d'envenimer une situation, et très souvent elle prendra des proportions dramatiques selon les faits. ATTENTION ! C'est trop facile de raconter des potins, ça colore les conversations au détriment des autres. Je suis certain que vous avez bien d'autres sujets intéressants qui meublent vos causeries sans détruire la réputation de votre prochain.

N'oubliez pas que lorsque vous parlez en mal de quelqu'un, votre énergie incite les autres à parler de vous. Qui plus est, votre taux vibratoire est influencé par les pensées que vous émettez et aussi par celles que les autres émettent à votre sujet. Vous vous souvenez de la loi du retour ? Ne soyez pas surpris si vous entendez des ragots à votre propos.

Une médisance est toujours négative. Les propos positifs sont toujours agréables à partager et à entendre. La loi du retour est valable dans les deux sens, négatif ou optimal.

PANIQUE

La PANIQUE, toujours provoquée par notre esprit conscient, fait de notre vie un véritable drame. Lorsque vous vibrez aux fréquences de la panique, elles agissent comme un boomerang et renforcent ce sentiment. Le jeu de la panique s'alimente par les angoisses, les anxiétés, la crainte. Si j'insiste au point de me répéter, c'est que je veux vraiment vous sensibiliser aux forces de vos pensées. Celles-ci vous appartiennent et vous seul en avez les commandes. J'aurai atteint mon but par cet ouvrage seulement si vous, cher lecteur, comprenez bien les rouages du conscient et de l'inconscient. J'aurai réussi si, dès maintenant, vous décidez de travailler sur cet organe vital qu'est l'esprit.

Comme tous les éléments négatifs et constructifs, la panique joue son rôle parfaitement en ne vous donnant aucune chance. Bien au contraire, elle s'occupe de vos états d'âme en plus de garder sous une surveillance malicieuse l'entretien de votre esprit. Les vibrations de la panique tuent l'objectivité humaine, ralentissent l'évolution de son mieux-être et peuvent même détruire l'individu.

Perdu, il se cherche, sans comprendre son égarement mental. Le pire, c'est qu'il a alimenté inconsciemment cette situation par son ignorance. C'est le drame que vivent beaucoup d'individus. Perdus dans une panique incontrôlable, ils s'affolent, crient au désespoir, se croient sur un chemin sans issues. Ils ne sont pas fous, seulement perturbés et malheureux de ce qu'ils vivent.

Beaucoup de désordres psychologiques auraient pu être évités si nous avions été éduqués dès l'adolescence à tenir compte des forces motrices qui nous habitent. Hélas ! nous n'en sommes pas encore là. Imaginons pendant quelques minutes que tous les habitants de la planète gèrent de façon parfaite leurs pensées. Qu'en résulterait-il ? Ce serait le PARADIS. Vous avez entièrement raison. C'est nous qui sommes la cause de tous nos malheurs, nos peines et nos échecs. Il en sera autrement le jour où un tiers seulement de la planète aura compris et appliqué les lois de la pensée. Le taux vibratoire de la planète s'élèvera alors.

Vous croyez que je m'illusionne. Il y a beaucoup de scientifiques et de chercheurs qui sont de cet avis. J'endosse leur point de vue, car je sais, par expérience personnelle, qu'ils ont raison. Le travail que je fais transforme l'ensemble d'un groupe pour le faire évoluer à titre individuel. Il influence énergétiquement l'étiquette sociale d'une façon consciente. Parce que chaque personne a pris la responsabilité de sa vie et sait l'importance de ses états d'âme, de ses états d'esprit.

Ainsi, elle enrichit les vibrations de sa communauté par la réussite due à ses efforts. Réalisez-vous toute l'importance que chacun de vous a sur ses congénères ? C'est démesuré, on ne peut pas évaluer en chiffres les efforts de l'entretien de notre mode de pensée. Mais croyez-moi, éliminons la PANIQUE et venons-en à la guerre aux vibrations. La panique est la pionnière en matière énergétique pour engendrer les autres sentiments qui y sont rattachés.

La panique engendre bien d'autres sentiments qui nuisent à votre évolution. Il y a le MANQUE DE CONFIANCE, les PEURS et surtout l'INSÉCURITÉ due au **manque d'argent.** L'insécurité désarçonne votre évolution, vous fait perdre tous vos moyens.

La panique créée par la crainte détruit l'ambition.

PEUR

Avec la peur, vous arrêtez de vivre. Vous fonctionnez à un rythme ralenti qui neutralise votre confiance en vous. Vous perdez l'autonomie de votre personnalité. Dominé par la peur, votre esprit est ouvert aux vibrations néfastes d'une panique extérieure.

La peur est une prise de conscience menaçante devant une situation trouble. Elle est incontrôlable parce qu'on applique à la peur imaginaire la sensation physique de l'événement anticipé. On extrapole au quotidien ou à l'occasion sur un événement qui déclenche cette sensation physique désagréable. Par exemple, lorsque vous devez prendre un avion, utiliser un ascenseur, traverser un pont, c'est par l'imagination que vous alimentez votre esprit en créant de toutes pièces le PIRE scénario : écrasement de l'avion, bris de l'ascenseur, enfermement dans le noir, effondrement du pont.

C'est par l'imagination que l'on projette le PIRE. Qui est responsable de ce film imaginaire ? Vous, parce que vous avez perdu le contrôle de vos pensées et que le SABOTEUR l'a vite récupéré pour s'en occuper avec plaisir.

Il y a aussi la peur alimentée par la crainte. Cette peur qui, selon moi, est très dommageable, parce qu'elle fait naître en pensée la possibilité d'un malheur à venir. Peur d'être malade, peur de perdre son emploi, peur d'avoir un accident. Vous réalisez peut-être maintenant que c'est vous qui avez créé, d'abord en pensée, certains événements que vous avez vécus.

Le sentiment de peur causer une sensation physique aux vibrations tellement fortes que très souvent, elles provoquent automatiquement le résultat appréhendé. Et c'est vous qui en êtes la cause inconsciente, parce que vous avez perdu le contrôle de vos pensées.

Si vous êtes parmi ces gens qui souffrent de ce genre de phobies, apprenez à vous contrôler en analysant avec logique le sujet de votre peur. L'avion est le moyen de transport le plus sûr. Les ascenseurs sont inspectés périodiquement, en vertu d'une loi gouvernementale. Rares sont les ponts qui s'effondrent. Ne vous laissez plus dominer par l'aspect négatif d'une situation. Au contraire, réfléchissez, analysez et, de ce fait, vous gagnerez la partie contre votre SABOTEUR.

Il y a aussi la hantise, c'est-à-dire le fait d'être obsédé par une pensée, par exemple la peur de mourir, d'être malade, de se retrouver seul dans la vie. Je dirais que ces peurs sont des pensées presque continues qui hantent l'esprit et paralysent notre évolution.

Les peurs ne sont pas toujours créées en imagination. Elles peuvent aussi être suscitées en parole par quelqu'un. Enregistrée dans l'esprit conscient, la pensée part alors en course folle pour amorcer le processus.

Il y a aussi la peur physique, qui repose exactement sur la même logique. La peur incontrôlable d'un animal en est un exemple parfait. Quelqu'un qui a peur des chiens attire à lui ces animaux, et plus il en a peur, plus ils s'en approchent. La peur que vous éprouvez à la vue d'un chien déclenche **automatiquement** en vous une vibration que l'animal perçoit. Il réagit sous l'effet vibratoire de votre personne. Il aboie, grogne, montre ses crocs, et peut aller jusqu'à sauter sur vous. Il vous avertit de votre peur, et celle-ci augmente, ainsi que les vibrations qui l'accompagnent. Ainsi, il poursuit sa réaction jusqu'à vous attaquer.

Si vous ne l'aviez pas vu, il n'y aurait pas eu de vibrations. Le chien n'aurait pas été attiré. Cette peur a été créée en pensée, n'est-ce pas ? Comprenez bien que toutes les vibrations de vos pensées ont les mêmes effets tout autour de vous.

Certaines personnes ont peur des moustiques ou des souris. Elles réagissent par la peur et le dégoût devant une bestiole qui leur paraît horrifiante. Ce n'est pas qu'elles aient vraiment peur, c'est plutôt qu'à leur vue, elles sont dégoûtées par leur présence inattendue. Horrifiées par l'effet de surprise, elles ressentent un émoi désagréable. Beaucoup pensent qu'il s'agit d'une peur. En fait, c'est la présence indésirable qui engendre un sentiment d'horreur.

Vous en avez sûrement déduit que la peur se contrôle par la pensée comme tout le reste. Si vous êtes de ceux que la peur empêche d'évoluer, armez-vous de bonne volonté et changez votre façon de penser en analysant vos peurs. Ne vous laissez pas envahir par l'élément destructif de la peur, qui engendre bien d'autres effets.

PLAISANTERIE

Est-ce qu'on peut faire des plaisanteries à tout propos ? NON ! Il faut faire attention à tout ce que l'on dit. On ne peut pas parler pour parler, raconter n'importe quoi. Chaque mot que nous prononçons émet sa propre énergie, que ce soit conscient ou inconscient, que ce soit pour rire ou avec le plus grand sérieux. L'Univers ne pense pas, ne réfléchit pas et n'analyse pas, il prend comme authentique la vibration émise par la parole prononcée. Qui plus est, il en redonne aussi systématiquement l'énergie vibratoire.

Si c'est dans un but humoristique qu'on raconte une histoire, qu'on fait une blague, bien que l'Univers ne pense pas, l'énergie émise sera très différente. Celle-ci a pour but de faire rire. Donc, l'émetteur utilise des mots de basses fréquences vibratoires dont le retour est automatiquement annulé. L'émetteur étant lui-même de l'énergie à part entière, ses vibrations sont en harmonie avec ses intentions. Donc, elles restent maximales pour le conteur.

Bien que l'Univers n'ait pas le sens de l'humour, il perçoit les vibrations du conteur d'une manière différente. Heureusement pour lui.

PRÉJUGÉ

Les préjugés ont une force dévastatrice démentielle ignorée par la plupart des gens.

Certains préjugés témoignent du milieu social d'origine des personnes. C'est ce qu'on appelle la caractérologie de l'événement. Dans l'évolution de notre monde, certaines caractéristiques marquantes ont été associées à l'ensemble d'une communauté ou d'un groupe cible.

En adhérant à ce jeu du jugement enfantin, vous ouvrez grandes les portes aux jugements pernicieux. Dès que vous vivez une situation trouble, votre esprit s'égare en analyses négatives sur la personne intéressée, et naissent alors les jugements téméraires, lesquels, au lieu de vous faire grandir en générosité à l'égard de la collectivité, vous renferment sur vous-même et dans vos pensées négatives.

Chaque geste que vous posez, chaque remarque que vous émettez ne fait pas nécessairement l'unanimité, et c'est normal. Pourquoi alors critiquer et juger votre prochain ? Vous vous faites du mal (par les retours énergétiques de la pensée), tout en blessant les autres par vos remarques désobligeantes. Un jugement sévère et capricieux développe un esprit ÉTROIT. Vos échanges culturels et sociaux se referment, car avec des préjugés et des jugements trop draconiens, vous détruisez votre charme. La loi de l'ATTRACTION agit dans tous les sens.

Par votre esprit de contradiction et de controverse, vous éloignez vos amis. Vous avez le droit de formuler une critique et d'émettre votre opinion, c'est juste. Cependant, quand vous utilisez ce droit, assurez-vous de toujours présenter les deux aspects de l'observation, soit l'aspect négatif en premier, et une note positive en conclusion. On remarquera ainsi beaucoup plus votre sens de la justice et de l'équilibre, que celui de la destruction et des critiques avilissantes.

Il y a PIRE encore que de critiquer et de juger les autres. Certains décident du jugement des autres avant même d'avoir osé faire un premier geste. Ils décident de ce que les autres vont penser d'eux. Ils en sont convaincus. Finalement, afin d'éviter d'être jugés comme ils l'avaient décidé, ils refusent des relations et restent cloisonnés dans leur petit univers. Il en est ainsi pour les actes des autres et leurs motifs d'action.

PROCRASTINATION

La procrastination n'est pas une maladie, soyez rassuré. C'est la mauvaise habitude de toujours tout remettre au lendemain. Vous avez le droit de remettre à plus tard un travail ou une corvée pour toutes les raisons que vous voulez. Mais si depuis six mois vous remettez jour après jour ce que vous vous étiez engagé à accomplir, vous faites preuve de procrastination.

Votre taux vibratoire en est abaissé. Il stagne devant la réalisation possible, il piétine dans le présent. Inconsciemment, vous vous empêchez d'avancer et les portes de la réceptivité négative vous sont toutes grandes ouvertes. Ce que vous émettez n'est que de la stagnation.

Oscar est toujours là, et il aime vous donner toutes les bonnes raisons de persévérer dans votre procrastination. Vous seul êtes maître de vos actes. N'imputez pas à Oscar votre tendance à surseoir. Passez à l'action ! Vous en serez fier et vous pourrez ensuite vous occuper d'autre chose.

Attention ! Évitez de tomber dans le travers de remettre à plus tard votre « Gestion de vos pensées ». Vous rendez-vous compte que c'est encore Oscar qui agit dans les cas de procrastination ? Prenez le temps de digérer le livre, de le relire, et peut-être qu'alors vous serez enfin prêt. Le pensez-vous vraiment ? Mettez en pratique ce que je vous enseigne au fur et à mesure et, petit à petit, vous arriverez à gérer vos pensées.

RESSASSEMENT

Il n'y a pas seulement les femmes qui ressassent, les hommes aussi. Une pensée ou un souci entrave le bonheur quotidien et diminue le taux vibratoire. Des pensées tristes vous rendent la vie mélancolique. La vie s'arrête pendant une certaine période pour stagner au profit du négatif. Généralement, vous ruminez tant que la solution ne s'éclaircit pas.

Ressasser un projet, selon moi, c'est analyser en profondeur le chemin à prendre vers la réussite. C'est réfléchir avec sagesse à toutes les facettes du rêve afin d'éviter la moindre erreur. C'est prendre logiquement conscience de ses ambitions et évaluer les risques.

Ressasser ses soucis, c'est aussi analyser, réfléchir, évaluer la situation afin d'y remédier rapidement. Ressasser une peine, c'est beaucoup plus dramatique, parce que la peine est un sentiment qui vous atteint dans votre intérieur profond, qui fait saigner votre cœur. Et tant que la situation demeure nébuleuse, un doute plane sur les sentiments ou les actes de la personne qui en est la cause et fait baisser le taux vibratoire de l'émetteur.

Le fait de ressasser peut être une attitude objective dans la découverte d'une solution gagnante. Il peut être destructif lorsque la cause est dramatique ; ce qui entraîne de l'insomnie, de l'anxiété et bien d'autres éléments destructeurs.

RESSENTIMENT

En psychologie, le ressentiment fait partie de ce qu'on appelle les trois « R » : rancune, rancœur, ressentiment. Il consiste à se souvenir avec animosité des torts qu'on a subis. Souvenir qui limite notre évolution. Élément destructeur, cette pensée sera concrétisée sur du négatif et prendra votre cœur comme acolyte dans l'élaboration de la **haine.**

Le ressentiment n'est lié ni à la jalousie ni à l'envie. Il est lié à un tort causé par quelqu'un. Par exemple, on a répandu des médisances ou des calomnies sur votre compte ; vous êtes congédié sans raison valable ; votre partenaire vient de mettre fin à votre relation amoureuse. Le ressentiment devient alors la vedette de vos pensées jusqu'au jour où vous faites votre deuil de cette situation traumatisante.

La durée de ce sentiment ne dépend que de celui qui l'entretient (Oscar). Chaque fois que l'un des trois « R » refait surface, ne sombrez pas trop longtemps dans l'entretien inconscient de votre schème de pensée. Il est destructeur. La solution : vivez une ACCEPTATION, même si cela est difficile. Plus rapidement vous accepterez, plus vite vous retrouverez la paix intérieure, et plus vite également votre taux vibratoire se repositionnera énergétiquement en hausse. Souvenez-vous de la loi de l'ATTRACTION...

STRESS

Il existe deux formes de stress. Le **stress positif** joue un rôle de stimulateur, il fournit l'adrénaline qui nous pousse vers la réalisation de nous-même. Il tonifie la personnalité, nous donne le courage de persévérer dans nos ambitions et dynamise la loi de l'ATTRACTION.

Le **stress négatif,** le SABOTEUR, s'en charge. Il prend un malin plaisir à vous fournir constamment des pensées négatives, lesquelles, avouons-le, sont beaucoup plus faciles à gérer. Une des grandes causes du stress, c'est qu'on ne s'occupe pas assez de soi. Trop souvent, le travail domine notre vie. En quittant leur lieu de travail, plusieurs personnes apportent avec elles les responsabilités, les soucis, les ennuis et tous les autres tracas qui y sont liés. Elles sont incapables de décrocher.

Plusieurs avenues existent pour combattre le stress. Mais peu importe celles que vous choisirez, vous reviendrez toujours à la base, c'est-à-dire à la gestion de vos pensées. C'est Oscar qui prend tous les moyens pour vous faire dévier de votre objectif, qui est de vivre dans le calme et la sérénité. Si vous appliquez cette méthode avec perspicacité, votre stress deviendra un élément du passé.

J'ai aussi droit aux tentatives de mon saboteur Oscar, mais je ne me laisse pas faire. Peu importe la situation, je garde le contrôle. Prenez cette attitude : je suis le producteur, le réalisateur et le scripteur du film *Ma vie* ! Relisez cette dernière phrase et réfléchissez-y, vous verrez combien de situations changeront dans votre vie. Réalisez que vous êtes la personne LA PLUS IMPORTANTE.

La psychothérapie, l'assistance psychosociale, les diverses approches globales du corps et de l'esprit et la gestion de la pensée vous aideront à découvrir la source de vos maux. La méditation (vivre en silence), le yoga et le tai-chi favorisent la relaxation du corps et de l'esprit, libèrent celui-ci des soucis et réduisent les effets secondaires dont on a déjà parlé. Une étude menée à l'école de médecine de l'Arkansas démontre que la méditation a un effet direct sur le système immunitaire.

Apprenez à vous affirmer

Certains d'entre vous éprouvent de la difficulté à s'affirmer et se voient obligés d'accomplir des tâches qui leur déplaisent. Il faut apprendre à s'affirmer sans perdre son calme et à exprimer ce qu'on ressent sans hausser le ton ni se sentir coupable. On reprend ainsi le contrôle de sa vie, et cela seul diminue les facteurs de stress et rétablit le taux vibratoire.

On apprend à dire « non » sans se sentir coupable, en se reconnaissant certains droits fondamentaux. Chaque être a le droit à l'égalité, au privilège de changer d'avis, d'exprimer ses opinions même si elles contredisent celles de l'entourage, d'exiger que ses besoins soient satisfaits et de satisfaire ou non ceux d'autrui. Existe-t-il d'autres droits fondamentaux, selon vous ? Reconnaître ses droits individuels, c'est aussi en conférer aux autres. Ce n'est pas de toujours faire à sa tête. Il faut se montrer flexible et savoir accepter l'opinion d'autrui.

S'affirmer ne signifie pas se montrer désagréable. Il faut formuler ses exigences calmement, honnêtement, et dans le respect d'autrui, en commençant par se lier à l'Univers par des formulations appropriées.

- Univers infini, je suis calme et détendu immédiatement.
- Univers infini, je m'exprime avec facilité et mon ou mes interlocuteurs acceptent mes propos avec une très grande ouverture d'esprit immédiatement.
- Univers infini, j'ai une très grande confiance en moi maintenant.

Le travail

Une des grandes causes du stress est le travail. Beaucoup plus que l'action de travailler, L'ENVIRONNEMENT est l'origine maîtresse du stress.

- Accordez beaucoup d'importance à l'éclairage. Celui-ci doit convenir à votre travail.
- Ne restez pas assis trop longtemps : votre circulation sanguine et lymphatique en sera entravée. Chaque heure, levez-vous et faites quelques pas. Si c'est impossible, tapez du pied.
- Accordez de l'importance à votre fauteuil. Si le siège est trop élevé, posez les pieds sur un petit tabouret ou, à défaut, sur une pile de livres ou un pouf afin d'être à l'aise. Vous pouvez facilement vous fabriquer un « appuie-pieds » à l'aide d'une petite boîte en carton de sept à dix centimètres de haut bourrée de vieilles revues. Cette boîte peut être solidement fermée à l'aide d'un ruban adhésif.

- Ne restez pas debout trop longtemps.
- Veillez à ce que l'endroit soit bien aéré. Des plantes, des fleurs, des vases remplis d'eau humidifieront votre lieu de travail. Un appareil ionisant compensera le manque d'air.
- Acquérez de l'assurance dans vos discussions avec vos supérieurs en formulant des affirmations. Ainsi, vous aurez confiance en vous.

Un individu seul peut difficilement améliorer de mauvaises conditions de travail. Mais en GÉRANT bien vos pensées, vous corrigerez aisément la situation.

TRAHISON

Le traître émet les mêmes vibrations, qu'il trahisse une personne, un secret ou une situation. Les vibrations de la trahison nuisent au respect et détruisent l'harmonie.

C'est avec une volonté bien déterminée de nuire à son prochain que le traître agit. Il est conscient du mal qu'il fera. Il s'en moque, pourvu qu'il aboutisse à ses fins. Il ignore que le respect envers autrui est une qualité énergétique et qu'il faut la maintenir à un niveau vibratoire respectable si on veut être respecté à son tour. Inconscient, il agit et recueille les retombées négatives de son acte.

Pour être respecté, il faut avant tout respecter les autres. Pour être aimé, il faut s'aimer et aimer les autres. Les énergies sont actives en permanence et émettent leurs vibrations selon les pensées de l'émetteur.

TRICHER

La tricherie est aussi une énergie négative. C'est s'attribuer un résultat ou un succès par l'entremise d'une autre personne. C'est abuser de la naïveté pour gagner. C'est trafiquer des informations dans le but de nuire.

Si vous copiez sur votre voisin lors d'un examen, vous vous attribuez les mérites de l'étudiant studieux alors que vous n'avez rien fait. Si vous plagiez un document, vous faites exactement la même chose. Il en sera de même si vous trichez aux cartes ou dans toute autre sphère dans le but de gagner, si vous trafiquez des résultats par abus de pouvoir, des données pour votre avantage, des sommes d'argent pour éviter des situations compromettantes, etc. L'homme sait par instinct ce qui est juste et droit. En agissant consciemment dans un but nuisible, il nuit aussi à son taux vibratoire et il sera un jour ou l'autre abusé.

Le plagiat fait partie de la famille de la tricherie. Quand vous copiez un CD, un DVD ou que vous vous attribuez le travail d'un autre à l'aide d'Internet, vous vous appropriez des droits d'auteur qui ne vous appartiennent pas. D'une façon ou d'une autre, un jour, vous rembourserez tous les droits d'auteur accaparés. L'Univers, qui tient une comptabilité parfaite des énergies, redonnera à son auteur la jouissance de ses droits d'une autre manière, alors que le tricheur paiera, peu importe la façon. Mais il est clair qu'il paiera. RIEN NE NOUS EST ÉPARGNÉ !

VENGEANCE

La vengeance est un dédommagement moral de l'offense par la punition de l'offenseur...

Je comprends que, parfois, une blessure ait pu être outrageante, humiliante, vexante. Mais ce n'est pas une raison pour chercher vengeance. Se venger, c'est donner raison à l'adversaire, c'est s'abaisser à son niveau. Mais le plus grave, c'est que la loi de l'ATTRACTION demeure en vigueur. C'est donc payer fort cher pour s'octroyer un semblant de paix.

Il est vrai qu'il existe beaucoup de méchanceté, mais ce n'est pas en vous en vengeant que vous obtiendrez une meilleure qualité de vie. Il faut passer par l'étape du pardon, dont j'aborderai le sujet plus tard et, surtout, ÉVITER les discours malveillants de votre saboteur Oscar.

VIOLENCE

J'aurais bien voulu éviter de parler de violence, mais elle est tellement présente dans le monde actuel ! Comment rester indifférent à tout ce négatif ? Je ne parle pas seulement ici de la violence physique, mais aussi de la violence verbale et psychologique.

Dans un moment de colère, on dit parfois des choses qu'on regrette par la suite. Généralement, ces propos diffèrent selon que la violence est accidentelle ou découle du caractère. Pour certains, la violence fait partie intégrante de leur personnalité. Ils éprouvent un vif plaisir à blesser l'autre.

La violence physique est souvent une épreuve de force entre hommes. Cependant, il y en a beaucoup trop dans les couples. Les forces sont inégales et, malgré cela, je dirais que la lâcheté l'emporte. Démuni du pouvoir de la force verbale, on recourt à la manière brutale. Les coups ne résolvent pas la situation. L'alcool est bien souvent une cause perverse de la violence.

Les guerres, les tueries, les bains de sang sont de la violence extrême et le taux vibratoire des pays belligérants ou des personnes agissant violemment, même avec des intentions prétendument nobles, s'en trouve abaissé. Le taux vibratoire des pays souffre des guerres qu'ils se livrent. Tout est lié. RIEN n'est épargné dans la comptabilité énergétique de l'Univers.

DOUTE

Je n'ai pas placé le doute là où il aurait dû apparaître selon l'ordre alphabétique, et pour cause. Le doute est le point négatif contre lequel vous allez avoir à vous défendre le plus souvent, au début de la GESTION DE VOTRE PENSÉE. Il fera varier votre taux vibratoire en dents de scie et troublera votre mécanisme de pensée.

Le doute est le parasite de la vie. Il empêche le fonctionnement parfait des pouvoirs énergétiques. Il détruit l'ambition, il empêche la transmutation de nos pensées. C'est le pire ennemi contre lequel nous devons mener continuellement un combat et à l'égard duquel nous devons toujours être en alerte.

Faites un examen de conscience, vous constaterez l'ampleur de l'influence que le DOUTE a eue sur vos réalisations. À chaque expérience de vie, si vous avez mis à profit votre bagage de connaissances et d'expériences SANS le DOUTE, vous avez réussi. En revanche, si des tentatives se sont avérées vaines, c'est que vous faisiez équipe avec le DOUTE.

Je dis, en me basant sur toutes mes expériences, que le doute est le parasite de la vie, et je suis convaincu qu'il n'y a rien de pire. Depuis le début de cet ouvrage, je vous explique que tout est énergie, et que, sans le contrôle de la pensée, vous refusez la plus grande force motrice existante. C'est par elle et elle seule que se réalisent vos désirs. Quand vous doutez de vos possibilités, quand vous doutez de vos forces spirituelles, quand vous doutez de VOUS et de vos pouvoirs illimités, automatiquement vous perdez le combat. Le DOUTE compromet toutes vos pensées, vos énergies, vos vibrations. C'est comme si un obstacle démesuré vous empêchait de vous réaliser. C'est déjà la fin avant le commencement.

Le doute crée un élément d'ANNULATION, comme un fusible. Lorsque la surcharge électrique est trop forte, il coupe le courant. Le doute vous anéantit, il paralyse l'homme, il le limite dans toutes ses possibilités. Le doute est l'ennemi numéro un. Il vous manipule, vous limite, assure la destruction de vos rêves. *Les rêves deviennent réalité*, dit-on, mais à une seule et unique condition : NE PAS AVOIR DE DOUTE.

Vous avez fait votre examen de conscience ? Et alors, n'est-ce pas la vérité ? Quand le doute était hors du circuit de vos pensées, vous vous êtes réalisé. Plus encore, vous êtes allé au-delà de vos limites, vous étiez convaincu et vous n'avez laissé aucune place, même toute petite, à votre ennemi le doute. Vous n'aviez jamais réalisé que la réussite de votre expérience était due à l'absence de doute. Pourtant, c'est là vraiment la SEULE et UNIQUE cause qui aurait pu supprimer votre idéal.

Pendant votre examen de conscience, vous avez remarqué que tous les insuccès de vos projets étaient dus en majeure partie à vos doutes. Il est certain que le doute n'est pas le seul élément destructeur d'un rêve entamé et non concrétisé. Dites-vous bien qu'il est à 95%, la cause de tout phénomène d'annulation. Le reste peut être dû à certains autres éléments que, personnellement, je refuse d'accepter.

Dans mon cœur, je suis convaincu que le doute est le responsable à 100 % de tout échec. J'étudie son comportement depuis des années. J'analyse continuellement son intervention chez les gens. J'affirme catégoriquement que le DOUTE annule le pouvoir de nos pensées, détruit nos rêves et sabote notre vie.

Je sais qu'être sous l'emprise du doute est comme être coincé dans un placard fermé à clé. Il n'existe aucun moyen de s'en sortir. On doit attendre que quelqu'un d'autre ouvre la porte de l'extérieur ou la défonce pour être enfin libéré.

Évitez d'être sous l'emprise du doute, libérez-vous de ses forces négatives, reprenez vite le contrôle de vos pensées !

Je vous certifie que d'expérience en expérience, chaque fois que vous contrôlerez le doute, vous réussirez. Avec le temps, vous réaliserez que le doute vous a manipulé pendant trop d'années pour lui laisser encore la moindre emprise sur votre vie.

Est-ce que moi, j'ai encore des doutes ? Jamais ! Peu importe la situation, l'objectif, le rêve, je ne laisse pas au doute la plus petite possibilité de venir perturber mes pensées. Je connais trop bien son pouvoir destructeur des énergies et je lui refuse toute emprise, même s'il ne s'agit que de quelques secondes. Je n'oserais prendre le risque, si minime soit-il, de me laisser sombrer dans le marasme destructeur du doute.

Réalisiez-vous que déjà, en lisant ces lignes, il s'infiltrait dans vos pensées pour vous perdre dans des distractions négatives, et encore une fois vous manipuler ?

Je le connais bien, monsieur Le Doute. Il est comme un fin renard. Il vous attaque sournoisement et essaie par tous les moyens de vous brancher sur la défaite. Il détruit tout ce qui est idéal, ambition, rêve. Il ne laisse aucune chance, il veut rester le maître de votre vie.

Je ne suis plus le seul à avoir mené et gagné cette bataille. Il y a maintenant un nombre considérable de personnes qui se sont penchées sur la question. Après mure réflexion, elles ont compris qu'il était la cause flagrante de leur inaction et peut-être même de leur désespoir. Maintenant conscientes de cela, elles se sont astreintes à une pratique attentive et constante : ÉLIMINER LE DOUTE.

« Bien ! Que puis-je faire avec le doute ? » Je vous donnerai des explications approfondies et des clés pour combattre votre SABOTEUR. Vous l'aviez reconnu, j'espère ! Remémorez-vous les résultats de votre examen de conscience, les succès obtenus et les échecs subis à cause de vos doutes ; les résultats du conquérant, d'expérience en expérience, sur ses doutes, ses victoires, ses ambitions. Vous réalisez que le doute était la grande cause de vos limitations. Ni moi ni personne d'autre ne fera cette démarche à votre place. Vous seul avez ce pouvoir, et vous seul aurez le mérite de la victoire.

Projection intéressante mais irréalisable, pensez-vous ! Encore monsieur LE DOUTE, VOTRE SABOTEUR, qui ne vous laisse aucun répit. Il profite de milliers d'occasions par jour d'annihiler vos forces mentales. Il ne vous laisse absolument aucune chance.

C'est vous ou lui, sans aucune autre possibilité, sans compromis. Qui sera le vainqueur et qui sera le vaincu ?

N'avez-vous pas été le vaincu pendant assez d'années ? Avant, vous aviez les excuses de l'innocence. Vous ne saviez pas que la grande cause de vos insuccès était votre partenariat avec votre SABOTEUR LE DOUTE. Aujourd'hui, c'est différent.

Évidemment, vous pouvez refuser d'admettre cette possibilité (dites-vous bien que ce n'est pas vous, mais encore LUI qui s'impose) et continuer à subir son influence dévastatrice, ou vous pouvez vous prendre en main avec courage et vigilance. Il n'y a pas d'autres possibilités, c'est la victoire ou la défaite.

C'est toujours le même principe : l'arme qui confère la victoire est l'entraînement. Mitraillez vos doutes sans remords et votre succès est garanti.

La mitraillette du vainqueur se nomme entraînement !

LA SOLUTION

Vous ne pensiez pas être obligé de vous battre, en lisant ce livre, et encore moins que son auteur vous suggère de le faire. En effet, c'est une bataille de tous les jours qu'il faut mener pour vous défendre contre le SABOTEUR. Comme celui-ci ne laisse pour ainsi dire jamais de répit, il faut toujours être en état d'alerte, être sur vos gardes au cas où l'ennemi vous surprendrait, et cela afin de toujours maintenir votre taux vibratoire dans les hautes fréquences.

Dès qu'un petit problème se présente, LE SABOTEUR se charge d'amplifier son côté négatif et de vous mettre dans tous vos états. C'est là sa grande force ! Il transforme souvent une situation ordinaire en problème majeur, au détriment de votre paix intérieure. Il est sournois, et vous tombez facilement dans son piège, car il ne s'annonce jamais. J'aimerais bien vous dire qu'il existe un signal quelconque pour le reconnaître, mais je vous raconterais des histoires.

Lorsque vous constatez toute la puissance de vos pensées objectives et constructives, vous vous rendez compte par vous-même que les pensées négatives ont exactement la même puissance. J'avoue que, personnellement, la seule grande peur de ma vie est de me laisser avoir par mon SABOTEUR. Tout comme vous, il m'arrive d'avoir des pensées négatives, mais dès que je constate qu'elles commencent à prendre du pouvoir dans mon esprit conscient, je me rebelle, je me bats.

Il faut connaître ses pensées négatives pour réussir à les contrôler. J'ai décrit à votre intention le programme des aspects négatifs du SABOTEUR. Sa personnalité n'est rien d'autre que du négatif. Pour bien mener la bataille et maintenir son taux vibratoire au degré optimal, il faut se souvenir de toutes les facettes de sa force. Ce ne sera pas facile au début et vous tomberez fréquemment dans son piège. Même si après plusieurs minutes, voire des heures, vous vous rendez compte qu'il vous a encore manipulé, avec la technique dont je vous fais part, vous finirez par en sortir vainqueur et, tout comme moi, vous aurez une peur bleue des pensées négatives.

En résumé, gardez toujours en mémoire ces quelques consignes.

1. **OBSERVEZ** vos pensées, écoutez-vous parler. Avec le temps, ce mécanisme deviendra naturel. Comme pour toutes les bonnes et les mauvaises habitudes, c'est une question d'entraînement.

2. Chaque fois que vous aurez une pensée négative ou que vous émettrez une parole négative, dites dans le silence de votre esprit conscient : **JE COUPE NET** ou **J'ANNULE**, et si parfois ce sont des images négatives : **J'EFFACE.**

3. **REMPLACEZ** immédiatement la pensée ou la parole négative par une pensée ou une parole positive.

4. Parfois, la pensée est tellement obsessionnelle qu'elle agresse la personnalité, change le caractère et provoque des conflits avec l'entourage. Dès que vous constatez que vous êtes sous l'emprise de votre saboteur et qu'il gâte votre moment présent, **EXAGÉREZ** sa forme de négativité au point d'être ridicule, **AMPLIFIEZ-LA** jusqu'à vous faire rire.

5. **BATTEZ-VOUS** avec votre saboteur. Donnez-lui des coups de poing... des coups de pied..., et cela physiquement, en effectuant réellement le geste de donner un coup de poing ou un coup de pied, de faire un mouvement énergétique. Vous aurez à livrer cette bataille très souvent durant votre période d'entraînement, c'est-à-dire dans les débuts de votre nouveau mode de vie. Mais plus vous serez attentif à vos pensées et à vos paroles, plus votre évolution se fera rapidement. Vous aurez probablement à livrer cette bataille à nouveau, lors

d'événements ponctuels, mais plus vous aurez mis en pratique la Gestion de la Pensée au fil des ans, moins cette bataille sera longue et ardue.

6. Suivant le contexte (vous êtes entre amis, au travail ou ailleurs), il peut être impossible de vous battre avec votre saboteur. Faire des gestes brusques envers une personne invisible laisserait supposer un certain dérangement, et vous vous attireriez des moqueries. Dans ces cas, je vous propose une autre solution. Il faut **TIRER LA CHASSE D'EAU**, ou, en québécois pure laine, « **FLUSHER** » votre saboteur, ce qui veut dire que vous devez aller aux toilettes, le jeter dans la cuvette et tirer la chasse d'eau.

   Beaucoup de dames vivant à la maison m'ont dit qu'elles utilisaient cette dernière méthode et qu'elles appréciaient son efficacité.

7. La meilleure façon de combattre VOTRE SABOTEUR, c'est de l'imaginer comme étant votre doublure, votre sosie. Adressez-vous à lui comme s'il s'agissait d'une personne présente à vos côtés. Rappelez-vous comment vous l'aviez baptisé et adressez-vous à lui en l'appelant par son nom. Vous vous rappelez, le mien s'appelle Oscar.

Ça devient facile de mener un combat quand on connaît l'adversaire ; vous apprendrez vite à neutraliser ses faiblesses. Comme à la guerre, il faut s'organiser pour détruire le plus d'effectifs possible afin de contrecarrer l'ennemi. Dans vos démêlés avec votre SABOTEUR, vous apprendrez à l'éliminer dans toutes les actions qu'il complotera contre vous aussi bien en pensées qu'en paroles.

Vous aurez peut-être à prendre les armes plusieurs fois par jour et, avec chaque victoire, votre vie prendra une autre orientation. Votre personnalité s'embellira, votre caractère s'assouplira et vous ne vivrez plus dans la déprime d'une dépendance malicieuse qui assombrit le firmament de votre bonheur.

Bien des gens, victimes de leur humeur, finissent par nuire à leur carrière. Leurs collègues les évitent et le succès ne leur sourit pas comme il le devrait. Les autres vous aiment et croient en vous proportionnellement à votre capacité d'être aimable. Un esprit morbide se traduit habituellement par un jugement faussé et tordu.

L'homme n'a pas été créé pour être l'esclave de ses passions, la victime de son humeur. Il a été créé pour commander, dominer, être constamment maître de lui-même et de sa vie.

Libérer votre esprit de votre Oscar, l'ennemi juré de votre bien-être, de votre bonheur, est un combat de chaque jour. Quelle grande qualité que d'apprendre à fixer son esprit sur la beauté et non sur la laideur, sur la vérité et non sur l'erreur, sur la santé et non sur la maladie ! Ce n'est pas toujours facile, certes, mais c'est possible. Il faut une certaine habileté au combat pour aller à la guerre contre son SABOTEUR.

Ne laissez personne vous enlever la foi en votre victoire sur l'ennemi de votre paix et de votre bonheur ; croyez fermement en vous. Vous avez été gratifié de la faculté de jouir de la vie, et cela non pas d'une manière limitée, mais totale.

Beaucoup de gens sont eux-mêmes leur pire ennemi. Ils gâtent leur vie en laissant Oscar les gérer. Tout dépend de votre confiance en vous, de l'amour que vous avez pour vous. Maintenant, vous vous défendez contre votre pire ennemi, non pas par une attitude de lâcheté, mais par une ferme envie de vouloir changer et de vous transformer en étant toujours optimiste pour optimaliser vos vibrations. Ainsi le veut LA LOI DE L'ATTRACTION. Ainsi vous le voulez !

Cependant, dès que quelque chose va mal, dès que vous vivez une journée pénible, dès que vous éprouvez quelque insuccès ou que vous faites une expérience douloureuse, vous pouvez encore faiblir. Si vous vous laissez envahir par des pensées de doute, de crainte, de découragement, vous pouvez détruire en un instant tout le travail constructif que vous avez accompli, pendant des années peut-être. Donc, soyez aux aguets : Oscar ne laisse jamais de chance, il ne prend jamais de vacances. Si vous êtes toujours sur vos gardes, prêt au combat, soyez assuré que vous n'aurez pas à recommencer le cheminement déjà accompli.

La prochaine fois que vous vous sentirez découragé, angoissé, anxieux, inquiet, apeuré ou encore lorsque vous vivrez un doute, que vous aurez l'impression que vos efforts ne servent à rien, faites volte-face, affrontez Oscar et empêchez-le d'avoir accès à vos pensées. Chaque fois que vous vous croirez désarçonné, souvenez-vous que vos pensées modèlent votre vie.

Il est naturel d'être de bonne humeur quand la vie est facile et agréable. Mais l'homme qui a vraiment de la valeur est celui qui peut sourire, même lorsque tout va mal. Un cerveau trouble ne peut penser clairement et logiquement. Les soucis entravent les fonctions du cerveau, paralysent la pensée et diminuent votre taux vibratoire.

Carlyle a dit que certaines personnes sont habiles dans l'art de se rendre malheureuses. Elles semblent distiller un poison mental qu'elles répandent autour d'elles, et qui vous atteint, peu importe les efforts que vous faites pour vous en protéger. Elles répètent à satiété qu'elles sont ainsi faites, qu'elles ne peuvent se changer ni s'empêcher d'être négatives ; elles sont mélancoliques et pessimistes.

Il n'est pas évident d'avoir une vie agréable avec une telle philosophie. Peut-être faites-vous partie de cette catégorie de gens et que vous n'en n'avez jamais pris conscience ? Eh bien ! Maintenant vous savez que vous pouvez changer.

Aucun être n'a été créé pour être malheureux, pour assombrir le monde et rendre les autres misérables. L'homme a été crée pour être fondamentalement heureux. Quand comprendrez-vous que vos pensées déprimantes et destructives nuisent à votre épanouissement personnel ?

Si j'insiste tant sur la possibilité et même sur le devoir d'être heureux, ce n'est pas parce que je veux que vous me donniez raison, c'est seulement que je veux ouvrir votre esprit et attirer votre attention sur ce que vous avez de plus précieux :

VOTRE MÉCANISME DE PENSÉE.

J'espère que j'ai su vous faire prendre conscience de cette merveille qu'est la pensée et de la nécessité de la gérer dans votre vie de tous les jours. Vous pouvez essayer de me prouver que j'ai tort, mais à votre grande surprise, vous verrez que j'ai raison.

LES COMPORTEMENTS NÉGATIFS

Vous croyez que toutes vos difficultés s'arrêtent là, une fois que vous avez contrôlé le saboteur ? Que vous en avez fini avec les énergies négatives qui nuisent à votre avancement ? L'émission des vibrations liées à la loi de l'ATTRACTION n'est pas seulement mise en activité par les pensées négatives. Jumelés aux pensées négatives, l'ATTITUDE, le COMPORTEMENT, l'ÉTAT d'ESPRIT et aussi les ÉTATS D'ÂME sont des alliés inséparables de loi de l'ATTRACTION.

Voici donc une liste de comportements qui, eux aussi, que vous le vouliez ou non, interfèrent sérieusement avec vos vibrations et troublent votre vie. Sans être exhaustive, cette liste permet de voir et de comprendre combien d'autres points de notre personnalité peuvent être nuisibles à notre bonheur.

ACARIÂTRE : Qui a un caractère difficile, souvent très désagréable.

APATHIQUE : Qui est sans énergie, sans réaction, amorphe, inactif.

ARROGANT : Qui manifeste un orgueil excessif, insolent, méprisant, hautain.

BOUDEUR : Personne qui émet des énergies de colère, de rage, de frustration.

CAPRICIEUX : Qui agit par caprice, qui est toujours à tendance négative.

CRITIQUE : Qui commente et juge sévèrement.

CRUEL : Qui aime à voir souffrir, a de la méchanceté gratuite.

DÉPLAISANT : Qui aime froisser, cause de l'irritation chez l'autre.

DUR : Qui n'a peur de rien.

EFFRONTÉ : Qui n'a pas de respect ni de retenue, qui fait preuve d'impudence, d'insolence, de hardiesse envers les autres.

EXÉCRABLE : Qui est souvent de mauvaise humeur.

FAIBLE : Qui n'a pas de moyens, de ressources, de défenses.

FANFARON : Qui souligne avec un excès de fierté ses réussites, ses exploits, qu'ils soient réels ou non ; vantard, crâneur.

GROSSIER : Qui manque de finesse, de délicatesse.

HYPOCRITE : Qui se comporte en hypocrite.

INHUMAIN : D'une grande cruauté ; barbare.

INFÂME : Qui suscite le dégoût, le mépris, par sa bassesse morale.

INSIGNIFIANT : Qui est sans importance, misérable, ridicule.

MALVEILLANT : Qui cherche à nuire, qui a des intentions hostiles à l'égard de quelqu'un.

MANIPULATEUR : Qui manipule des situations à son avantage, au détriment des autres.

MENTEUR : Qui ment habituellement et naturellement.

MISANTHROPE : Qui déteste le genre humain, qui s'isole de la société.

MYSOGINE : Qui déteste les femmes.

PARESSEUX : Qui montre de la paresse.

PERVERS : Qui se plaît à commettre des actes immoraux ou cruels.

PESSIMISTE : Qui a tendance à prendre les choses du mauvais côté, à estimer que tout va mal, que ça finira mal.

RÂLEUR : Qui proteste à la moindre occasion.

SARCASTIQUE : Qui tient des propos méchants, railleurs.

SÉVÈRE : Qui évoque une absence de gaieté, de liberté, par son manque d'ornement ; qui est d'une grande rigueur.

SPARTIATE : Personne au caractère rude et austère.

VICIEUX : Qui a des goûts bizarres, étranges ; qui a une attirance pour des pratiques sexuelles réprouvées par la société.

VULGAIRE : Qui est grossier, trivial ; qui manque de distinction, d'élégance.

PREMIÈRE CONCLUSION

Que de choses négatives à corriger, vous dites-vous après avoir lu la deuxième partie de ce livre ! Voilà tout un programme, pensez-vous ! Combien ce sera difficile de tout gérer pour vivre chaque jour dans l'esprit de LA LOI DE L'ATTRACTION. Eh bien, non ! Tout est lié. En gérant bien vos pensées, votre attitude, tout comme votre comportement, sera au diapason de cette loi. Il est clair que vos états d'âme et d'esprit seront aussi de la partie.

LA LOI DE L'ATTRACTION,
C'EST LE SECRET

LES CLÉS DU SECRET SONT DANS
LA GESTION DE LA PENSÉE

UNE NOUVELLE VIE COMMENCE,
C'EST À VOUS D'EN DÉCIDER !

QUAND ENTREPRENEZ-VOUS
LA GESTION DE VOTRE PENSÉE ?

RAPPELEZ-VOUS
DE COMBATTRE
VOTRE SABOTEUR :

LE DOUTE !

COMMENT COMBATTRE VOTRE SABOTEUR ?

- OBSERVEZ vos pensées et ÉCOUTEZ-VOUS parler.
- COUPEZ NET, ANNULEZ OU EFFACEZ.
- REMPLACEZ vos pensées et vos paroles négatives par des pensées ou des paroles positives.
- EXAGÉREZ vos pensées au point d'en être ridicule.
- BATTEZ-VOUS contre votre SABOTEUR.

TIREZ LA CHASSE D'EAU !
(en version québécoise,
« FLUSHEZ-LE »).

LES CLÉS DU SECRET

TROISIÈME PARTIE

Chapitre 8
Les solutions gagnantes

n° 18
Le bonheur !

On a beaucoup écrit sur le bonheur, mais je me suis abstenu de lire sur cette matière afin de me soustraire à toute influence. Le bonheur est un état d'esprit conscient par lequel nous avons des pensées qui objectivent les énergies de la vie.

Le bonheur commence dans la pensée. Pour vivre perpétuellement dans une sorte d'euphorie, il faut un travail constant. Est-il possible de vivre heureux en permanence ?

Oui ! Il faut entretenir l'*émerveillement* de chaque instant. N'est-ce pas la grande qualité des enfants ? Ils ne se posent pas de questions, ils acceptent les événements en gardant dans leur regard cette lumière spontanée de joie de vivre. Ils sont heureux naturellement. Les enfants qui ont perdu ce pétillement du regard vivent sûrement des conflits à la maison ou d'autres difficultés majeures.

Je crée ma vie en ne regardant que le bon côté de chaque situation. Des aspects négatifs se présentent à moi tout comme à vous. Cependant, j'évite d'entretenir en pensée ce genre de schéma. Plutôt que de perdre du temps à cultiver des réactions conscientes et inconscientes face à une situation négative, je préfère passer rapidement à l'analyse de la situation pour trouver la solution idéale.

Je suis le producteur, le réalisateur et le scripteur du film ayant pour titre : *Ma vie !*

Il en est de même pour votre vie. À chaque leçon de vie, je prends du recul, je me sers des outils que j'ai mis au point, comme réalisateur, pour la « Gestion de la Pensée », afin d'orienter le cours des événements. Comment pourrais-je partager cet enseignement si je ne l'appliquais pas moi-même ?

Cette méthode réunit toutes les clés du bonheur. Mais, par lassitude, on préfère se laisser aller dans une sorte de paresse mentale, et ainsi on retombe vite dans ses habitudes négatives. De toute manière, on n'arrête jamais de penser, alors autant choisir le mode de pensée qui changera le cours de sa vie. Tout commence par la pensée.

Je crée mon propre bonheur par mon **attitude** face aux événements. Si je donne une puissance négative à une situation, elle y prendra tout le pouvoir et se réalisera de façon négative. Je participe d'une façon volontaire à la catastrophe de ma vie. Par une attitude triste ou agressive, je détruis les chances d'une réalisation favorable des faits. Avec le temps, il devient aisé et automatique de n'accepter que des pensées de bonheur.

Toutefois, il serait illusoire de croire que tout peut s'arranger par une simple attitude optimiste, sans faire le moindre effort. Il faut se servir de la brochette d'outils mise à notre disposition, ceux de la « Gestion de la Pensée ».

Selon la situation, je me sers de l'un ou l'autre des outils. Pourquoi m'en priverais-je ? Le bonheur est accessible grâce à ces clés. Tel en est le véritable mode d'emploi. Les ignorer, c'est se refuser le droit au bonheur. Certes, il n'est pas facile d'être heureux en permanence, mais c'est possible. Vous croyez que j'essaie de vous vendre une idée. Non ! Je n'ai rien à vendre, je vous invite simplement à faire le premier pas, qui est de vouloir croire au bonheur.

Y **croire,** c'est déjà se donner le droit d'y accéder. C'est s'ouvrir à autre chose que nos vieilles façons de penser enfouies dans le fond de notre subconscient. C'est accepter qu'il soit possible pour soi d'arriver à vivre dans la magie du bonheur. C'est reconnaître que cet état existe pour les autres, et qu'il est maintenant possible pour soi-même.

Le bonheur n'est pas lié à l'argent, c'est un ***état d'esprit conscient.*** Rien d'autre ! C'est en pensée qu'on est heureux ou non. Changez vos pensées et vous changerez votre vie.

Il faut apprécier la vie avec toutes les facettes qu'elle propose. Certaines de celles-ci sont plus faciles à gérer que d'autres, vous avez raison. Tout dépend de votre évolution par rapport aux expériences de chaque instant. Il est vrai que la vie ne nous amène pas que des situations joyeuses.

C'est par de multiples expériences que vos pensées s'enrichiront ou vous permettront de marcher sur la route qui mène au bonheur. On ne naît pas heureux, on apprend à l'être. Il n'y a pas d'école du bonheur non plus, mais il y a des outils pour y parvenir. Pourquoi se refuser le droit de s'en servir ? Ils sont là pour nous, et c'est à nous de prendre la décision d'être heureux. Le jour où vous accepterez de changer votre façon de penser, vous aurez alors atteint la sagesse.

On se laisse glisser sur la pente du négatif comme sur un toboggan. Le piège a été tendu sournoisement et, selon la loi du moindre effort, on mijote, on cogite, tout ce qu'il y a de plus facile pour vivre dans une grande tristesse. **Comble de malheur :** c'est par une attitude négative que tout commence.

Il faut être constamment aux aguets pour ne pas se laisser aller sur une telle pente. Perdre son bonheur au lieu d'en tirer une leçon de vie, c'est tout de même triste quand on sait, dès le départ, que nous avons en nous ce qu'il faut pour résoudre la situation. Il faut réagir rapidement et ne laisser aux pensées négatives aucune chance de prendre le pouvoir.

J'en ai, tout comme vous, mais je tiens à conserver ma précieuse joie de vivre, à me réaliser dans l'amour divin et à m'épanouir dans la sagesse humaine. C'est aussi valable pour vous. Nous sommes tous unis dans cette énergie de l'amour, et c'est par là que commence le bonheur.

Le bonheur se traduit par l'amour de son conjoint ou de sa conjointe, de ses enfants, des parents, de tous les membres de sa famille, de ses amis et même de ses ennemis. J'imagine votre réaction en lisant « l'amour de ses ennemis ». Il est impossible à quiconque d'être aimé de tous. Même Jésus, deux mille ans après sa venue, a toujours des détracteurs. Son message, qui était pourtant un message d'amour, suscite encore des conflits dans de nombreux pays.

Le bonheur est une **énergie stimulante** qui nous vivifie, qui tonifie notre comportement. Un rayonnement aux vibrations magiques émane de notre corps. Rappelez-vous le jour où vous êtes devenu amoureux : il y avait dans votre regard une magnifique lumière de bonheur, et même si vous vouliez cacher votre joie, elle transparaissait. C'était l'amour qui se jumelait à l'énergie du bonheur, et il était impossible de le nier. N'est-ce pas là la loi de l'attraction ? Ce qui se vit à l'intérieur se reflète à l'extérieur.

Le bonheur attire à soi les personnes heureuses. Le bonheur, ça se partage ; c'est un baume de réconfort pour les malheureux. La joie de vivre leur redonne de l'espoir et de la confiance. Une personne heureuse est facilement à l'écoute et propose souvent une solution juste afin que l'autre se reprenne en main. Dans le malheur, on se perd et on voit tout en noir. Il n'y a rien de plus réconfortant que de s'entourer des énergies du bonheur lorsqu'on est en difficulté.

C'est exactement la même situation pour la réussite. Si vos relations sont des personnes à succès, vous drainerez la réussite. Si vous n'avez des contacts qu'avec des perdants, vos réalisations seront médiocres. Il en est ainsi depuis le début des temps, et il en va de même pour le bonheur. Entourez-vous de gens heureux et éloignez-vous des gens tristes, agressifs, coincés et qui ne véhiculent que de la critique et du négatif.

Souvent on n'a pas le choix, pensez-vous. On a toujours le choix d'espacer les rencontres, de leur dire que leur attitude ne nous convient pas. Vous les avez écoutés, vous les avez aidés à trouver une solution, et ils tardent à se prendre en main parce que la facilité du négatif les arrange. C'est se respecter que d'être franc avec soi-même et avec les autres. On choisit ses relations comme on choisit d'être heureux.

Les gens négatifs pompent beaucoup d'énergie, car ils ne sont pas en harmonie avec la nôtre. Il faut se protéger de ce genre d'entourage. Les gens négatifs assombrissent la vie et lorsqu'on est trop faible, on se laisse contaminer par leur tristesse.

Il y a une autre catégorie de personnes dont il faut aussi se protéger : celles qui critiquent constamment. Elles affectionnent ce genre de comportement inconscient et ne font rien pour changer. C'est dû à leur personnalité, me direz-vous. En effet, mais en tant qu'adulte, il faut travailler sur soi et faire des efforts pour changer et embellir sa vie et celle de son entourage.

Un jour, une voisine qui revenait de faire du vélo critiquait le fait que son parcours était parsemé de côtes, que c'était fatigant, qu'elle n'était pas assez en forme pour ce genre d'exercice et patati et patata. Je lui ai répondu que tant qu'à pratiquer un sport sans pouvoir apprécier la nature, le chant des oiseaux et aussi le plaisir de s'y livrer, il valait mieux s'en abstenir. Que c'était beaucoup plus agréable de lire un bon livre que de revenir frustré d'une randonnée.

Le bonheur se vit dans le quotidien et dans les petites choses, pas seulement dans les grands événements. On doit l'apprivoiser et s'éduquer à la joie de vivre. Celle-ci devient comme une drogue. La vie est bien trop courte pour accorder tant de puissance au négatif. Il vaut mieux tenter de régler les situations négatives aussitôt qu'elles se présentent et éliminer dès leur apparition les pensées qui perturbent notre esprit conscient.

Nourrissez-vous dès votre réveil de l'**énergie stimulante** avec des pensées d'amour et de bonheur. Si vous avez énoncé les formulations prescrites par la « Gestion de la Pensée », rappelez-vous que nous commençons notre journée dès que notre esprit conscient est en éveil. Il convient donc de prendre l'habitude de prêter aussitôt attention à nos pensées. Évitez de commencer vos journées avec une série de pensées destructrices qui gâcheront une bonne partie de celles-ci. Certaines personnes se spécialisent dans des pensées malheureuses : elle se font un malin plaisir de les entretenir. Elles vivent en pensant à *hier* ou à *demain.* Or, la plus merveilleuse journée est *aujourd'hui.*

Il faut apprendre à aimer la vie. Sinon la vie ne nous aimera pas. Il faut mettre tous les matins une bonne dose de bonheur dans ses pensées et s'assurer que l'amour est au programme de notre journée. Vous êtes seul, vous êtes en instance de séparation, vous vivez un deuil, vous avez des soucis ou une multitude de problèmes : tant et aussi longtemps que vous entretiendrez des pensées de tristesse ou que vous ne gérerez pas avec facilité tous vos ennuis, jamais aucune solution n'apparaîtra pour vous rendre le bonheur perdu.

La vie nous expose à différentes situations afin que, par nos pensées, nous puissions la prendre en main. Nous vivons tous, un jour ou l'autre, des drames, des deuils, et nous avons tous notre lot d'ennuis. Avec des pensées de bonheur, les solutions se présenteront beaucoup plus clairement et vous resterez serein même dans l'épreuve.

Il faut accepter que nous n'ayons pas tous la même définition du bonheur. Nous sommes pourtant tous à la recherche d'une vie heureuse.

- Il faut concrétiser notre idée d'une vie heureuse en pensée avant tout. Il faut prendre la décision d'être heureux.
- Il faut faire l'effort d'attirer du bonheur dans sa vie.
- Il faut s'entourer de personnes heureuses.
- Commencez dès le réveil à sélectionner vos bonheurs en pensée.
- Il faut vivre aujourd'hui.
- Il faut sourire à la vie.
- Il faut éviter de se nourrir de pensées négatives.
- Il faut surveiller son langage et le rendre positif.
- Il faut réduire les rencontres avec les personnes négatives.

Grandir en étant heureux,
c'est vieillir en beauté.

Chapitre 9
La réalisation

🗝 n° 19
La motivation !

Ce n'est pas qu'une seule clé qui fera la différence dans votre vie, c'est l'ensemble de toutes les clés qui changera toutes les vibrations liées à *la loi de l'attraction*. Soyez confiant ! Dans la première partie, nous avons vu les règles d'or, les ordonnances et les huit grandes lois. Dans la deuxième partie, nous avons démasqué le SABOTEUR et tous les traits de sa personnalité désinvolte. Maintenant, dans la troisième partie, je partage avec vous les solutions, soit les clés de la RÉALISATION.

Pourquoi la dix-neuvième clé est-elle la *motivation* ? Parce que, sans motivation, tout effort vers le succès serait inutile. La motivation est une énergie stimulante qui amène à se surpasser, et cela même dans les épreuves de la vie. Il faut avoir beaucoup d'estime de soi pour gérer chacune des situations, même celles qui sont difficiles à vivre, et pour décider de se surpasser malgré toutes les difficultés possibles. Heureusement, vous disposez maintenant d'une bonne quantité de clés pour changer le cours des événements.

Étant motivé, déterminé à passer à l'action, vous ferez de votre présent une réalité réalisée. C'est l'énergie qui engendre le succès, la réussite. Pour aller de l'avant, il faut avoir des buts. Avec votre esprit conscient, décidez des éléments clés qui vous en faciliteront l'atteinte. Tout est en vous pour vous permettre d'atteindre vos objectifs. Une fois en symbiose avec l'Univers, en un tour de main, votre quotidien deviendra facile à gérer et la réussite sera la récompense désirée.

La motivation et l'acceptation sont les clés les plus difficiles à gérer pour être en parfaite communion avec la *loi de l'attraction*. Si la motivation n'était pas au programme des clés, il manquerait un élément très important pour y arriver. La motivation dynamise l'énergie et stimule toutes les vibrations de l'émetteur. Plus le penseur est motivé, plus il gère son quotidien, plus ses énergies sont optimales, plus il connaît le succès.

Les réussites de votre « Gestion de la Pensée » sont impératives pour alimenter votre motivation. Plus vous gérez chaque situation, plus vous vivez de grands bonheurs, et plus cela vous stimulera à faire toujours en sorte d'employer les clés proposées.

Pour rien au monde je me priverais de gérer quotidiennement mes pensées. Connaissant le SECRET depuis longtemps, j'utilise chaque jour toutes les clés. Mais je me rends compte que, sans motivation, sans succès, le manque d'intérêt annulerait ma démarche. Je suis comme vous et, pour donner le meilleur de moi-même, il faut que je savoure la réussite dans l'application des conseils proposés, quels qu'ils soient.

Pour être et rester motivé, je vous suggère quelques formulations à adresser à l'Univers. Laissez aller votre imagination et créez votre plan de vie comme vous aimeriez qu'il soit. Décidez de nouveaux projets, changez de parcours, passez à l'action, agissez... Énoncez une formulation spécifique, le cas échéant :

- **Univers infini, j'ai une très grande imagination. Je me planifie des buts motivants, intéressants et stimulants ayant pour objectif de me réaliser maintenant.**
- **Univers infini, j'ai une très grande confiance en moi, je passe à l'action maintenant concernant mon projet de...**

- **Univers infini, j'ai beaucoup d'ambition et je crois en moi immédiatement.**

- **Univers infini, je suis très motivé aujourd'hui.**

- **Univers infini, je passe à l'action et je suis fier de moi. J'ose, je fonce aujourd'hui.**

n° 20

L'acceptation !

Que vient faire l'acceptation dans « **LES CLÉS DU SECRET** » ?

Accepter d'être heureux, d'avoir du succès, de se réaliser, c'est facile. Eh oui, il est facile de vivre selon la loi de l'attraction en période de confort. Cependant, il n'en va pas nécessairement ainsi dans les difficultés de la vie. Or, l'acceptation est un élément clé pour arriver à rétablir les vibrations positives. Notre retour au bonheur ne se fera pas sans passer par l'acceptation. Il vaut donc mieux accepter la situation négative comme étant un facteur de croissance suscité par une leçon difficile. On reste alors en symbiose avec l'énergie.

Un deuil, une perte d'emploi, une rupture amoureuse, un échec personnel ou professionnel, une maladie, un revers de fortune, un abandon, un rejet, une agression, une trahison, un mensonge, des médisances, des calomnies, voilà autant de situations traumatisantes pour lesquelles l'acceptation est le premier pas à faire avant de parvenir au pardon.

Si, pendant ces durs moments, vous nourrissez des énergies de frustration, de colère, de méchanceté, etc., selon les différentes situations injustes qui vous accablent, votre taux vibratoire en souffrira et vous émettrez des énergies de basse fréquence. Vous réalisez alors toute la difficulté que vous pouvez éprouver à accepter ces situations. En revanche, l'acceptation **MET UN FREIN** au processus des vibrations émises par les pensées et les paroles négatives. Le taux vibratoire stagne durant cette période jusqu'au moment où vous décidez de passer au pardon.

C'est toujours le saboteur qui nous fait vivre le négatif, même dans les difficultés. Vous me direz que c'est injuste, et que vous ne parvenez pas à accepter tout le mal qu'on vous a fait. Que même Dieu vous abandonne, car votre souffrance physique et psychologique est tellement grande que vous n'imaginez pas le jour où le soleil brillera à nouveau dans votre vie. Malgré toutes les clés vues jusqu'à maintenant, vous pensez qu'il vous sera impossible de retrouver la paix de l'âme et du cœur.

Vous sentez en vous la présence du saboteur, mais de là à accepter le lot de souffrances accumulées tout au long de votre vie, il y a une grande différence. Vous reconnaissez que dans certains cas, vous avez votre part de responsabilités. Mais il y a aussi les différentes déceptions que la vie vous a apportées et qui vous semblent inacceptables.

J'aurais bien aimé éviter le sujet. Mais pour bien comprendre cette clé qu'est « **l'acceptation** », il faut connaître ce qu'est le karma.

Le karma est le principe fondamental de la religion hindouiste. Il est, selon moi, la logique même de l'amour et de la justice divine. Lors du **premier Concile de Nicée,** en Asie Mineure, en 325, lorsque fut rédigé le *Symbole des Apôtres*, profession de foi chrétienne, un groupe important d'évêques étaient partisans de la doctrine de la **réincarnation** et voulaient laisser subsister dans les Écritures saintes des passages relatifs à cette croyance. Mais la majorité rejeta cette proposition. Voilà pourquoi cette théorie paraît étrangère aux chrétiens d'aujourd'hui.

Beaucoup lui reprochent d'être trop « asiatique », oubliant que le christianisme est tout entier d'origine asiatique. Le Christ, Bouddha, Mahomet et Lao-Tseu n'étaient pas des Européens, pas plus que d'anciens Égyptiens, Assyriens, Sumériens ou Indiens. Toutes nos idées, toutes nos notions en matière de religion proviennent d'Asie, le berceau de la pensée religieuse. Le christianisme a pris naissance en Asie

Mineure, en Afrique du Nord et en Grèce. Saint Augustin, l'un des pères de l'Église, était natif de l'Afrique du Nord. Il faut tenir compte de ces faits lorsqu'on veut juger de l'origine des religions.

Je vous donne ici mon point de vue personnel raconté comme une belle histoire afin qu'il soit accessible à l'ensemble des lecteurs. Je vous propose de le lire avec une très grande ouverture d'esprit et d'éviter tout jugement inutile avant la fin de ce chapitre. À la fin, vous serez en mesure d'évaluer mon exposé et de mieux comprendre la réalité de la vie. Je n'ai aucune idée à imposer. Mon but est de partager avec vous ce qui me semble d'une très grande logique. Cette histoire représente à la fois l'amour divin et la justice divine.

Je veux vous parler d'une manière simple et romancée, afin que vous y voyiez clair. Cet exposé a pour objectif de donner une raison valable aux expériences de votre vie, ce qui vous aidera à utiliser la clé de « l'acceptation » pour le plus grand bien de vos vibrations. Il y a des expériences qui donnent de grands bonheurs. Mais il y en a aussi qui constituent de grands malheurs.

Durant cette lecture, je vous amène en voyage dans un monde irréel et, tout à la fois, très présent et authentique. Je sais que certains lecteurs seront très choqués. Mon but est d'éveiller votre conscience. Pour d'autres, ce sera une confirmation de ce qu'ils pensent au sujet du monde dans lequel ils évoluent. Bon voyage !

Nous nous trouvons présentement chez Éther : c'est un plan d'évolution tout comme la Terre. Nous évoluons dans un corps éthérique, asexué, pour lequel le temps terrestre n'existe pas. Sur ce plan, tout comme ici, nous sommes appelés à apprendre.

Imaginons qu'Éther est divisé en pays comme notre planète et que vous habitiez la Belgique. Vous avez remarqué qu'elle est entourée du Luxembourg, des Pays-Bas, de l'Allemagne et aussi de la France. Vous avez envie de visiter les Pays-Bas, et vous demandez à une entité supérieure ce que vous devez faire pour y avoir accès.

Elle vous répond ceci :

> *Vous devez vous faire un programme de vie avec de l'amour, des joies, du bonheur, des réussites, de la gloire pour certains, mais aussi de la souffrance, des peines, des misères, des échecs, des déceptions, des malheurs, des abandons, des trahisons, des rejets, des mensonges, et être aussi victime de médisances et de calomnies.*
>
> *Si tout votre programme est compatible pour obtenir votre laissez-passer pour les Pays-Bas, nous vous donnerons la permission de vivre une expérience terrestre. À votre retour ici, chez Éther, si vous avez franchi toutes les étapes de votre expérience de vie, vous recevrez votre laissez-passer et vous pourrez faire la navette entre la Belgique et les Pays-Bas.*

Vous êtes venu sur Terre faire une expérience de vie en choisissant vos parents, votre corps et votre sexe, masculin ou féminin. Rien n'est immuable. On doit vivre plusieurs expériences toutes différentes les unes des autres afin de comprendre les leçons de la vie. Pour mettre un terme à une expérience karmique, il faut passer par la toute première étape, celle de l'**acceptation.**

On recommence encore et encore. Chaque visite terrestre est une occasion d'apprendre, d'évoluer et de grandir vers une forme de perfection. Vous revenez chez Éther au fil du temps et selon votre désir d'évoluer, vous recommencez un nouveau cycle : information auprès d'une entité supérieure pour le choix des expériences à traverser dans sa prochaine vie physique pour atteindre le but visé chez Éther, c'est-à-dire les expériences qui devront être sélectionnées pour gravir le plus d'échelons possible, toujours selon ses propres intentions. Rien ne vous est **imposé.** Ces péripéties se feront au rythme de votre passion (pensée personnalisée) pour évoluer d'une fois à l'autre. ***Nous n'arrêterons jamais de penser.***

> *Tout ce beau travail se fait avec un seul mécanisme, c'est celui de vos pensées. Croyez-vous qu'à chaque expéri-*

mentation, on emprunte une forme de pensée comme le corps que vous habitez maintenant pour venir passer du temps ? Serait-il logique que dans certaines vies, nous ayons des pensées saines et bonnes, alors que dans d'autres vies, elles seraient méchantes, vengeresses, malhonnêtes, etc. ? Où est le véritable sens d'une Intelligence supérieure ?

J'y crois d'autant plus que cette Intelligence que l'on appelle Dieu, Bouddha, Mahomet ou encore d'un autre nom selon la religion, n'est qu'amour et justice. Nous offrir la possibilité d'évoluer par notre schéma de pensée, c'est là la plus grande merveille de la création. ***LA PENSÉE !***

C'est par la pensée que tout se crée. C'est donc par la pensée que vous améliorez ou transformez vos vibrations reliées à la *loi de l'attraction*. Quand prendrez-vous conscience de cette très grande puissance qui est en vous et que vous avez la possibilité de changer ? Si vous la laissez stagner, vous recommencerez les mêmes expériences tant et aussi longtemps que vous n'aurez pas compris ou fait l'effort de comprendre que, de toute manière, il n'y a pas d'autre choix. Sinon, ce sera pour une prochaine vie. Je vous rappelle que nous avons été créés pour l'éternité.

Accepter l'amour, le bonheur, c'est tout à fait merveilleux et facile. Mais accepter la souffrance, un malheur, un échec, c'est tout à fait différent ! C'est pour cela que c'est nous qui choisissons nos propres expériences, bonnes ou mauvaises, afin d'évoluer et de grandir dans le divin. On ne nous impose pas les épreuves, les malchances. C'est nous qui les choisissons afin d'évoluer selon le rythme de nos intentions.

Selon moi, c'est là le véritable sens de la justice divine. J'ai choisi et décidé tous les moindres détails de ma vie. Ce que j'en fais et comment je les vis, c'est autre chose. Pour réussir à annuler l'expérience karmique, c'est-à-dire pour ne pas avoir à la recommencer, il faut passer à la seconde étape, le pardon.

n° 21

Le pardon !

« *L'allégorie du verbe aimer.* » Une absolution volontaire qui fait suite à l'analyse d'une affliction qui a contrarié la volonté de nos pensées ou de nos sentiments. Le pardon est une réaction spontanée ou réfléchie qui demande une très grande sagesse, beaucoup d'humilité et de générosité. Savoir pardonner, c'est avant tout avoir appris à s'aimer. Pour aimer son prochain et être aimé des autres, il faut commencer par la phase numéro un de l'amour *:* ***S'aimer !***

Tolérer n'est pas pardonner, c'est accepter certains écarts de conduite, par exemple avoir une ouverture d'esprit par rapport à certaines indélicatesses ou maladresses ; c'est aussi comprendre avec discernement une situation sans la juger. La tolérance est la marque d'un grand jugement logique, ce qui ne signifie pas nécessairement un pardon absolu.

Le véritable pardon s'accorde dans des situations graves où l'intégrité et l'intérêt de la personne sont mis en cause. L'excuse est une forme de pardon pour des fautes de moindre importance. Il y a des personnes qui s'excusent à propos de tout, c'est un signe de faiblesse et de manque de confiance. S'excuser est une marque de politesse, mais il ne faut pas en faire une manie.

Il est difficile de passer l'éponge aisément lorsque la blessure est profonde. Mais le temps arrange les choses, comme on dit.

- Le ressentiment vit-il à l'intérieur de vous ?
- Avez-vous de la rancune ?
- Y a-t-il de la haine en vous ?
- Les cicatrices sont-elles effacées ? Reste-t-il des mouvements de colère ?

- Avez-vous oublié toutes les souffrances de l'insulte ?
- Avez-vous été victime d'humiliation ? Les agressions mentales et physiques ont-elles disparu de vos rancœurs ? L'amertume des révoltes intérieures est-elle chose du passé ? Toutes vos peines sont-elles sorties de vos entrailles ?
- Avez-vous cessé de revenir sur les histoires d'hier, ou radotez-vous encore ?
- Est-ce que vous vivez toujours dans le passé ?
- Quand vous pensez à vos échecs, comment réagissez-vous ?
- Êtes-vous toujours une proie facile pour les imposteurs ?
- Vous êtes-vous déjà pardonné vos erreurs ?
- Pensez-vous à vous venger ?

LES ÉTAPES DU PARDON

Je vous présente les treize étapes d'un pardon authentique.

1. Décider de ne pas se venger et de faire cesser les gestes offensants.

Comment réussir à pardonner quand sommeille au fond de vous un très grand désir de vengeance ? Être impitoyable envers l'autre pour assouvir le vilain désir de le voir à son tour souffrir moralement et parfois physiquement, c'est de la cruauté mentale de haut niveau. Parfois, des gestes vengeurs peuvent mettre la vie en péril involontairement. Le mouvement du pardon ne peut s'enclencher tant qu'il y a désir d'assouvir la vengeance.

2. Reconnaître sa blessure et sa pauvreté intérieure.

Après avoir subi une offense, si vous ne consentez pas à reconnaître votre souffrance, vous risquez de ne jamais parvenir au pardon authentique. Ce n'est pas être lâche ni s'avouer vaincu que de reconnaître qu'on a mal. Ce n'est pas réservé qu'aux faibles que de souffrir. Les degrés de la souffrance varient selon la sensibilité de chacun. Le pardon que vous aurez cru avoir accordé ne sera en fin de compte qu'une forme de défense contre la souffrance. C'est un phénomène d'action-réaction engendré par la blessure intérieure. Souffrance égale sensibilité ; or, sensibilité, pour certains, signifie faiblesse. Alors que c'est le contraire : dans la sensibilité, il y a de l'honorabilité et de la distinction.

3. Partager sa blessure avec quelqu'un.

Partager permet d'éviter d'être seul à porter le poids de la blessure. Je dirais qu'il est plus facile pour les femmes d'exprimer leurs blessures et aussi de trouver une oreille attentive ; l'homme est généralement plus introverti. Lorsqu'un homme s'ouvre, c'est que sa dégénérescence est flagrante et qu'il vit difficilement sa peine. Il cherche de l'aide, mais après avoir enduré longtemps. Se confier à quelqu'un, c'est divulguer notre secret et cela soulage notre esprit conscient obsessionnel. C'est aussi faire partager le poids de sa souffrance.

4. Bien identifier sa perte pour en faire le deuil.

Il faut faire la liste de tout ce qui peut être relié à la perte causée par une action. L'amour, l'intimité, la sexualité, la sécurité émotive ou financière, le respect, les loisirs, les plaisirs à deux ou en famille, la belle-famille, les amis, la complicité, la joie de vivre, le bonheur, la paix, la sérénité, la responsabilité, le matériel tel que la maison ou d'autres valeurs, etc. Faites l'inventaire précis des conséquences de l'offense ; cette prise de conscience sous aidera à faire votre deuil des pertes subies.

5. Accepter sa colère et son envie de se venger.

Je dirais qu'il est normal, pour un bref instant, de vivre de la colère et d'avoir envie de se venger. Une bonne colère témoigne du degré de haine et de ressentiment enfoui à l'intérieur. Il faut laisser cette haine et ce ressentiment s'exprimer avant que la vengeance devienne maîtresse de la situation. Faire plus de mal à l'autre et même le détruire n'arrangeraient pas les choses ; bien au contraire, cela les envenimerait.

Après le premier mouvement de colère, essayez de comprendre votre comportement et celui de l'autre. Inversez les rôles, mettez-vous à la place de l'autre : vous saisirez mieux la portée de l'offense subie.

6. Se pardonner à soi-même.

Se pardonner à soi-même est souvent plus dur que de pardonner à l'autre, car l'orgueil entre toujours pour une part dans la cause de l'incident ; on décide que c'est seulement la faute de l'autre et que notre propre responsabilité est minime dans ce qui s'est passé. Chacun a ses torts, on le sait bien, mais l'autre est toujours plus coupable. Reconnaître sa faiblesse, c'est avoir beaucoup d'humilité en soi et cela permet de retrouver la paix et l'harmonie, et ouvre aussi la possibilité de pardonner à l'autre.

7. Comprendre son offenseur.

Comprendre son offenseur, c'est éviter de le mépriser, ce n'est ni l'excuser ni le disculper. C'est avoir une ouverture d'esprit objective face à la faute commise et éprouver de la compassion pour l'autre. C'est l'accepter tel qu'il est, et c'est baser l'opinion qu'on a de lui sur l'ensemble de sa personne et non seulement sur la faute commise.

8. Trouver le sens de sa blessure dans sa vie.

Le choc de l'offense est salutaire. J'imagine ce que vous devez vous dire en pensant au viol, au scandale, à la brutalité, aux agressions, au mensonge, etc. Mais lorsqu'on a compris que ce sont des expériences karmiques ou encore des leçons, on est amené à regarder l'offenseur ou l'offensé d'une autre façon. C'est encore plus vrai d'une offense causée par un être cher ; l'offensé, frustré dans ses attentes irréelles, devra en arriver à apprécier et à aimer ce parent ou ce proche pour ce qu'il est en vérité.

9. Se savoir digne de pardon et être déjà gracié.

Cette expérience ne se compare à aucune autre, comme celle de l'amour passionnel, de la reconnaissance, de la joie, de la réussite, des retrouvailles entre amis, etc. Elle rejoint en quelque sorte le Moi dans ses profondeurs. C'est un véritable acte d'amour de la part de l'autre et aussi de notre part envers nous-mêmes. C'est une expérience fondamentale.

10. Cesser de s'acharner à vouloir pardonner.

Le pardon est un acte d'amour pur et simple en soi. Il est vrai que certaines personnes ont le pardon plus facile que d'autres. Je crois que ces personnes sont de vieilles âmes réincarnées et que, pour elles, cela est beaucoup plus facile. Le moment est venu de vous détacher de tout orgueil et de tout instinct de domination qui vous pousseraient à vouloir pardonner à tout prix. Le pardon ne peut pas être l'objet d'un commandement ou d'un précepte moral. Le pardon, c'est gratuit, ce n'est pas un échange de sentiments ou de services pour faire plaisir à un autre.

11. S'ouvrir à la joie de pardonner.

Pardonner, c'est grandir et avancer dans la vie. C'est laisser derrière soi toute énergie destructrice et négative, tout sentiment de haine et tout ressentiment qui anéantit la vie. Le pardon crée un vide intérieur qui vous dispose à accueillir l'amour.

12. Décider de mettre fin à une relation ou décider de la renouveler.

Ne pas confondre pardon et réconciliation. La réconciliation devrait accompagner un pardon authentique. Certes, il n'en va pas toujours ainsi, cela dépend de la gravité de la blessure et aussi de la façon dont vous entretenez ou non en vous la peine et l'humiliation. Beaucoup de personnes refusent de pardonner, car elles ont l'impression de faire semblant et, en fin de compte, elles pensent se trahir elles-mêmes en le faisant. Il faut avant tout s'aimer et se respecter.

13. Un geste concret efface à tout jamais les traces du passé.

La blessure est parfois tellement grande qu'on n'arrive pas à pardonner, ni à s'expliquer à une personne vivante, car on sait qu'elle ne comprendrait pas le sujet de notre peine et se moquerait de nous. On passe alors à l'étape du pardon pour soi et non pour l'autre. Lorsque l'offenseur est décédé et que vous ne parvenez pas à vous débarrasser d'un sentiment de haine et de répugnance responsable de votre amertume et de votre mal-être, ou tout simplement des non-dits qui n'ont pas été éclaircis, voici ce qu'il faut faire :

- Écrivez-lui une lettre de votre main (évitez l'ordinateur).
- Datez et adressez bien la lettre : Bien cher...
- Racontez toutes vos souffrances dans les moindres détails.
- Décrivez les circonstances et le lieu de votre affliction ou mauvaise expérience.
- Laissez-vous aller à extérioriser votre chagrin.
- Relisez votre lettre tous les jours jusqu'au jour où vous serez capable de la lire sans pleurer et qu'à l'intérieur de vous, il n'y ait plus aucun sentiment de haine, de colère ou tout autre, quel qu'il soit... L'indifférence totale, quoi !
- Ce dernier jour sera celui du pardon. Vous devrez alors brûler la lettre, sans rituel particulier.

Cet exercice est très important pour libérer de son passé une personne décédée. Car souvent elle reste accrochée à la Terre tant et aussi longtemps que le pardon ne lui est pas accordé. Elle s'en veut de sa bêtise et du mal qu'elle a causé, et refuse toute ascension vers l'au-delà. Lorsque la personne est vivante, il vaut mieux brûler la lettre que de la lui montrer, afin d'éviter tout rejet et surtout d'être la proie du ridicule. Souvent, l'offenseur a oublié ou ne se sent même pas coupable de vous avoir blessé à un tel point, ou encore il n'est pas en mesure de comprendre que vous souffriez pour ce qui n'est que peccadilles à ses yeux.

Ce qu'il y a d'extraordinaire, c'est que lorsque nous croyons avoir vraiment pardonné, l'Univers nous met face à face avec la personne qui fut un jour l'objet du pardon. Si vous avez véritablement pardonné, il n'y aura aucune réaction à l'intérieur de vous. Cependant, si la colère et la haine refont surface même après plusieurs années, c'est que le véritable pardon n'a pas été accordé et qu'il faut encore accomplir un travail dans ce sens-là. Sinon, vous devrez recommencer la même expérience dans une autre vie et avec la même personne, ou dans cette vie avec une autre. Cela signifie qu'une personne battue sera à nouveau battue. Une relation avec un offenseur est souvent à recommencer avec une autre personne pour qu'on puisse finalement parvenir à en comprendre le sens.

Le **pardon** est la clé qui annule toutes les vibrations de basse fréquence et permet aux vibrations positives d'agir à plein pouvoir dans votre vie. Pardonner, ce n'est pas renouer. Pardonner, c'est se libérer pour avancer et bénéficier de toute la puissance énergétique afin de se réaliser selon *la loi de l'attraction*. N'oublions pas : tout ce qui se vit à l'intérieur se reflète à l'extérieur.

Le pardon est l'arme secrète de l'amour.

Chapitre 10
L'amour

AIMER

Le mot *amour* ouvre à lui seul tout un éventail de sens, allant du sens propre à la signification individuelle qu'on veut bien lui donner. C'est un mot doux qu'on applique surtout à une relation entre personnes ; il désigne un sentiment profond partagé entre deux êtres. La vibration d'amour apporte de la joie et du bonheur, et elle équilibre la vie dans la magie du rêve. L'amour grave des empreintes énergétiques chez celui qui l'éprouve et imprime en lui des souvenirs heureux ; il laisse occasionnellement des traces de grandes peines. Heureusement, petit à petit, avec le temps, ces chagrins s'estompent.

Il n'y a pas d'école de l'amour. Notre regard sur l'amour est le reflet de l'éducation reçue. Enfant, on découvre la notion d'amour en observant le comportement des parents, qui sont inconscients de la portée de leurs attitudes amoureuses sur l'éducation qu'ils donnent.

Pour attirer l'amour, il faut l'apprivoiser, avoir un regard optimiste sur la vie et surtout y croire. L'amour existe, et vous y avez droit. Pour attirer l'amour, il faut s'aimer avant tout. Ainsi le veut la *loi de l'attraction*. L'amour est une énergie et cette énergie s'extériorise naturellement par les vibrations qui en découlent. L'amour attire l'amour.

AMOUR DE SOI

Il a toujours été plus facile de vous juger avec sévérité, de vous critiquer, de vous comparer aux autres, de vous adapter à une image familiale ou sociale ne correspondant en rien à l'être mystérieux qui sommeille en vous. Tout au long du film de votre vie, il faut apprendre à vous connaître avec une ouverture d'esprit juste, et à vous accepter tel que vous êtes, avec vos qualités et vos défauts.

Vous savez cela depuis toujours, et votre vie n'est pas pour autant une très grande réussite. Vous le savez, oui ! Mais qu'avez-vous fait pour que votre vie change ? Vous avez accepté depuis bien longtemps qu'il en soit ainsi et vous estimez qu'il n'y a rien à faire, que la vie est la cause de votre malheur. Vous avez toujours accepté cette croyance (un schème de pensée créé par votre éducation). Avant tout, il faut découvrir qui vous êtes vraiment, apprendre à vous connaître pour enfin savoir ce que vous voulez.

Il y a ceux qui subissent leur relation dans la douleur de leur cœur. Les larmes de la souffrance ne sont pas encore suffisantes pour leur faire prendre conscience que ce choix dépend d'eux. Plusieurs raisons à cette inconscience sont envisageables et elles sont toutes valables. L'AMOUR est un sentiment qui s'installe à l'improviste. Pour le garder le plus longtemps possible, il faut accepter l'autre et lui pardonner facilement, car le cœur ne peut pas supporter cette souffrance qui le déchire. Vous avez connu un jour ou l'autre cette expérience de la douleur. Pour être capable d'aimer, il faut s'aimer avant tout, et plus que tout.

AMOUR DIVIN

Depuis la nuit des temps, l'homme a toujours idolâtré un dieu issu de sa propre imagination ou accepté le sujet comme étant la vérité pour équilibrer sa conscience. Le Dieu de vos croyances ou les dieux des différentes cultures sont aussi symboliques que réels. C'est la foi qui gère l'aspect divin de votre être et, par conviction, vous respectez la doctrine.

Le divin, c'est cette joie intérieure, la plénitude d'un grand bonheur relié à des pensées pures pour soi et envers les autres. C'est une énergie merveilleuse qui habite votre être et qui, nourrie de l'amour inconditionnel, éveille en vous cette chimie de générosité en pensée et en action. Le divin apporte une sorte d'accalmie, de sérénité pour évoluer avec ardeur sur le chemin de la vie.

Le divin, c'est aussi la spiritualité, qui n'a rien à voir avec la religiosité. La spiritualité, c'est un état d'esprit conscient : on comprend qu'il existe quelque chose de bien plus grand que soi, qui a créé l'Univers et la Vie, et que chacun représente, dans cette création, une part importante et bien circonscrite qui peut contribuer au développement du grand tout.

On peut prier sans penser, il s'agit d'un acte purement mécanique, et je n'ose me prononcer sur la valeur réelle des bienfaits de cette forme de prière. Une chose est certaine : si vous vous concentrez et si vous réfléchissez, l'intention de vos offrandes ne sera pas la même. En élevant nos pensées pour qu'elles soient pures et nobles, nous ressentons une grande paix intérieure.

AMOUR INCONDITIONNEL

Cet amour consiste à donner sans rien attendre en retour. C'est offrir son cœur et sa personne gratuitement pour faire plaisir à l'autre, toujours dans le respect de soi. C'est vivre dans un esprit de bonté naturelle. La générosité est une grande qualité qui n'a rien à voir avec l'amour inconditionnel. Elle fait partie de l'être, et c'est un tout. On ne peut vivre l'amour inconditionnel sans être très généreux envers les autres. Mais on peut aussi être généreux sans pour autant vivre parfaitement l'amour inconditionnel.

L'amour inconditionnel, c'est un amour tourné vers tous et chacun. Si vous êtes une personne jalouse, envieuse, mesquine, égoïste et que la réussite des autres vous rend malheureux, vous êtes dans l'erreur. Le don de soi n'est pas uniquement physique, c'est en pensée que l'amour prend son véritable sens. Quel genre de pensées entretenez-vous à l'égard des autres ?

Le NON-JUGEMENT est un point important relié à l'amour inconditionnel. Il est vrai qu'il est plus difficile de penser sans juger les autres. Il faut s'entraîner à éviter tout jugement de sévérité et toute critique négative, et à respecter les choix et les décisions des autres. Il faut avoir un esprit ouvert, augmenter sa banque de connaissances, accepter les opinions différentes. Le jugement est une énergie négative et destructrice qui sclérose votre mécanisme de pensée et abaisse votre taux vibratoire. Vous ternissez ainsi votre personnalité. Vous affichez un esprit étroit dont votre entourage se méfiera. Vous avez droit à votre opinion, mais souvent il vaut mieux garder ses idées plutôt que de s'ouvrir au grand jour et de susciter, chez les autres, des jugements inutiles.

Rappelez-vous qu'il y a trois points à respecter dans l'amour inconditionnel :

- sans conditions ;
- sans attentes ;
- sans jugements.

LCOMPASSION

La compassion, c'est un sain équilibre de la pensée. Une pensée de non-jugement que l'on a pour quelqu'un ou pour une situation. Une forme de pitié attendrie par l'éclosion d'une parfaite stabilité. C'est un sentiment induit par une grande bonté. C'est la générosité incarnée dans un silence miséricordieux.

La vie vous apporte mille et une expériences, bonnes et mauvaises. Chacune d'elles vous entraîne vers une sorte d'épanouissement, à la condition d'en approfondir la leçon. La compassion est le pilier de l'entraînement à suivre pour atteindre une grande sagesse. Au fil du temps, votre évolution se fait de plus en plus avec maturité, et votre raisonnement adopte le profil de la plénitude.

Toutes les souffrances martyrisent l'esprit et y sèment la confusion. Que devez-vous penser et comment ? L'âme du juste est exempte des sentiments de haine qui pourraient perturber sa tranquillité. Vous observez d'un œil discret toutes les conjonctures, et vous vivez la compassion avec sagesse. Vous restez pacifique dans votre cœur, et aucune énergie négative ne nuira à vos vibrations et ne s'introduira dans votre système de pensée.

TENDRESSE

Vivre dans une énergie de tendresse, c'est être en permanence dans un univers de mansuétude. C'est voir le monde avec les yeux du cœur. C'est se réaliser dans la profondeur de l'âme. C'est le bonheur.

On associe la tendresse à une liaison amoureuse, c'est une réalité. Il est facile de se métamorphoser en tendre quand l'amour domine. Qu'en reste-t-il quand le temps fait son oeuvre et que les rapports se détériorent ? La tendresse imprime de précieux souvenirs dans la mémoire. Pourquoi se limiter au jeu d'une liaison ? Elle peut devenir un atout de la personnalité. La tendresse tant convoitée aujourd'hui sera une alliée ; elle offre la possibilité d'être bien dans sa peau. Le bonheur, c'est aussi pour vous.

La tendresse, c'est plus que de la gentillesse. Ce sont les gestes, les mots doux, les petites attentions. Vous pouvez écrire un billet à l'être aimé et le déposer sur son oreiller, sous sa tasse de café ou le mettre dans la poche de sa veste. Ne reléguez pas cette idée aux oubliettes. Faites-le aujourd'hui, dès ce soir.

LES ALLIÉS POSITIFS

À la fin de la deuxième partie, nous avons vu que le SABOTEUR a des alliés qui, par les vibrations négatives dues à vos comportements négatifs, nuisent et abaissent votre taux vibratoire. Mais vous avez aussi des alliés tels que votre ATTITUDE, votre COMPORTEMENT, votre ÉTAT D'ESPRIT et vos ÉTATS D'ÂME, qui, à l'inverse, ont des vibrations positives qui permettent d'augmenter et de maintenir votre énergie à un haut niveau vibratoire.

Je dresse donc à votre intention une liste de facteurs qui sont des complices positifs dans notre liaison énergétique...

AFFABLE : Qui est aimable, accueillant.

AFFECTUEUX : Qui éprouve ou témoigne de l'affection ; tendre, chaleureux.

ALTRUISTE : Qui s'intéresse à autrui, manifeste de la générosité et du désintéressement.

AUTHENTIQUE : Qui est vrai, avec lui-même et les autres.

AVENANT : Dont l'allure générale est susceptible de plaire.

BONTÉ : Valeur satisfaisante dans le domaine utilitaire et logique en pensée, en parole et en action.

CHARITABLE : Qui aime son prochain.

CLÉMENT : Qui n'est pas rigoureux, qui est doux.

COURTOIS : Qui agit avec une extrême affabilité, avec politesse.

DISCRET : Qui ne dévoile pas les secrets qui lui sont confiés.

DISTINGUÉ : Qui dénote le raffinement, la délicatesse et l'élégance.

DOUX : Qui fait preuve de douceur avec elle-même et les autres.

ÉQUILIBRÉ : Qui jouit d'un bon équilibre.

ÉVEILLÉ : Qui manifeste un esprit plein de vivacité, alerte.

GÉNÉREUX : Qui est dévoué envers autrui, qui donne beaucoup plus que la normale.

GENTIL : Qui plaît par son respect délicat des convenances dans ses rapport avec autrui.

HONNÊTE : Qui ne trompe pas autrui.

HUMAIN : Qui est sensible à ce que pour son prochain vit.

HUMBLE : Qui fait preuve d'une grande courtoisie en donnant à quelqu'un l'impression d'être important. Modeste, sans éclat.

INCORRUPTIBLE : Qui ne se laisse pas corrompre.

JOVIAL : Qui manifeste une gaieté simple et communicative.

JUSTE : Qui est conforme à l'équité, à la justice.

LOYAL : Qui est d'une fidélité et d'une sincérité absolues ; qui est entièrement dévoué.

MAGNANIME : Qui fait montre de générosité, de clémence, de bienveillance.

ORDONNÉ : Qui agit avec ordre, avec méthode.

PRÉVOYANT : Qui est attentif aux autres.

PROPRE : Qui soigne la propreté de sa personne.

SENSÉ : Qui fait preuve de bon sens.

SOCIABLE : Qui entretient facilement des relations avec ses semblables.

SYMPATHIQUE : Qui cause des émotions agréables par sa présence.

TOLÉRANT : Qui supporte autrui sans réaction pathologique fâcheuse ; qui accepte la présence de quelqu'un même à contrecœur.

VERTUEUX : Qui a des qualités morales.

RECOMMANDATIONS

Je vous propose d'adopter les deux comportements suivants qui vous permettront de bien gérer vos pensées, et cela en tout temps.

1. Le silence

Le matin, après avoir adressé vos formulations à l'Univers avant la sortie du lit, restez dans le silence. Dans le silence, votre niveau de concentration est plus élevé. Si c'est impossible à cause des autres membres de la famille, revenez au silence dès que vous vous retrouvez seul. Laissez la radio et la télé éteintes. Même quand vous démarrez votre véhicule, laissez la radio fermée.

Vous constaterez la grande différence dans vos réussites. Pourquoi ? Parce que vous aurez commencé votre journée en tant que producteur, réalisateur et scripteur du film *Ma vie.*

2. La prise de notes

La deuxième recommandation est de noter VOS SUCCÈS dans un petit calepin. On se souvient très peu de ses succès. On se rappelle surtout de ses échecs. Le fait de noter vos succès vous permettra de constater avec le temps toutes les réalisations obtenues, et cela grâce à votre « gestion de la pensée ». Le petit calepin est un outil IMPORTANT, il fera une très grosse différence dans votre persévérance à utiliser la technique de LA GESTION DE LA PENSÉE.

Après environ six mois, vous serez conditionné et vous constaterez que gérer vos pensées est devenu votre nouveau mode de vie, et cela grâce au sérieux de votre engagement dans cette voie depuis la découverte des **CLÉS DU SECRET**.

Chapitre 11
La dernière clé du secret
n° 22

Pour obtenir la 22e clé du secret, vous devez consulter le site web :

« www.lesclésdusecret.com ».

S'il vous plaît, lisez tout le livre avant de démasquer la clé no 22 sur le site.

Je sais. Votre curiosité est grande, mais ne gâchez pas votre plaisir de faire la découverte de cette clé avant le moment venu.

Cette clé est très importante et prendra toute sa signification seulement si vous la découvrez en temps et lieu, soit après avoir lu et mis en application les **CLÉS DU SECRET**, et surtout après avoir connu de nombreuses réussites.

Donc, lisez d'abord ce livre.

Puis expérimentez LA GESTION DE LA PENSÉE.

Enfin, allez sur le site et savourez la clé no 22.

Cette clé fera de votre vie une RÉALITÉ RÉALISÉE.

CONCLUSION

TOUT CE QUI SE VIT À L'INTÉRIEUR SE RÉFLÈTE À L'EXTÉRIEUR.

Telle est la *loi de l'attraction.*

« LE SECRET » a expliqué et prouvé, par ses nombreux témoignages, que cette loi est présente dans notre vie quotidienne et qu'elle est incontournable. Il devient donc évident que pour atteindre le bonheur, nous devons changer notre intérieur et, pour ce faire, gérer nos pensées.

LES CLÉS DU SECRET nous apportent la technique à suivre pour assurer LA GESTION DE LA PENSÉE. Cette technique est mise en pratique chaque jour par des milliers de personnes tant en Amérique qu'en Europe, conformément aux séances de formation qu'elles ont suivies avec moi. Puisque ces personnes continuent à l'utiliser au quotidien, c'est certainement la preuve que cette technique est facile et surtout efficace.

Si vous n'avez pas déjà commencé, c'est aujourd'hui que vous reprenez le contrôle de votre vie.

C'est aujourd'hui que vous vous mettez en action pour faire entrer le bonheur dans votre vie.

C'est aujourd'hui que vous commencez à utiliser LES CLÉS DE LA GESTION DE LA PENSÉE.

Car à votre porte vous attendent l'amour, le succès, le bonheur.

Et souvenez-vous de la LOI DE L'ATTRACTION :

TOUT CE QUI SE VIT À L'INTÉRIEUR SE RÉFLÈTE À L'EXTÉRIEUR.

BIBLIOGRAPHIE

GIRARD, Serge. *Message de l'au-delà*, Montréal, Éd. J.C.L., 1990.

MARDEN, Orison S. *Les miracles de la pensée*, Paris, Éd. du Roseau, 1984.

MONTBOURQUETTE, Jean. *Comment pardonner ?*, Paris, Éd. Centurion et Novalis, 1992.

Produits de DANIEL SÉVIGNY

DVD, au nombre de six, pour transformer votre vie.

Vivre au quotidien la GESTION DE LA PENSÉE est un art. Aussi le public a-t-il exprimé le désir de disposer d'un matériel de soutien facile et rapide à consulter, en se référant à la formule de la pensée du jour. Daniel Sévigny a donc repris les grands thèmes de ses conférences, qu'il présente ici sous forme de capsules de trois minutes et demi chacune. Il a nommé ces capsules les COMPRIMÉS DU BONHEUR, que vous pouvez visionner au rythme de une par jour. Accompagné chaque jour par ces COMPRIMÉS DU BONHEUR, vous vous sentirez soutenu dans cette nouvelle manière de vivre que vous avez adoptée après avoir compris l'importance de vivre selon la loi de l'attraction.

• PHASES 1-2-3-4 – LA FORCE DE L'ESPRIT

La complicité de l'ÉNERGIE DE L'UNIVERS dans le quotidien de votre vie. La découverte du saboteur qui empoisonne l'existence. La programmation du subconscient qui est le passeport de la réussite. Comme tout le monde, vous aussi direz : **« C'est facile et ça marche. »**

• PHASE 5 – LE POUVOIR D'AUTOGUÉRISON

Le canal énergétique est la découverte du siècle... C'est un pouvoir extrêmement puissant. Des milliers de personnes ont obtenu des résultats impressionnants. Les mantras sont des outils merveilleux pour garder son psychique au niveau du bonheur, pour optimaliser son état d'esprit. **Le premier remède de la guérison est la pensée.**

• **PHASE 6 – LE MONDE DES GUIDES**

J'atteste la réalité de ce monde irréel pour le commun des mortels, j'authentifie la présence des guides et je vous donne le privilège d'utiliser leurs ressources pour agrémenter et embellir votre vie. **Nos plus fidèles amis, les guides.**

• **PHASE 7 – MA PREMIÈRE LEÇON DE VIE**

À l'occasion d'une colonie de vacances, des jeunes découvrent la remarquable technique de la « Gestion de la Pensée » adaptée aux enfants. **Le monde de demain, ce sont les enfants d'aujourd'hui.**

• **CD – DE L'OMBRE À LA LUMIÈRE**

Un bijou, des textes sur un fond musical choisi. À écouter dans l'auto, au travail, partout. Ce CD permet de rester toujours en liaison avec les pouvoirs de votre **« esprit conscient »**.